SÉJOUR CHEZ
MÈRE TERESA

Thérèse Beaudry

SÉJOUR CHEZ MÈRE TERESA

PRÉFACE DU CARDINAL PAUL-ÉMILE LÉGER

MÉRIDIEN
COLLECTION
TÉMOIGNAGE

Données de catalogage avant publication(Canada)

Beaudry, Thérèse, 1926 —
Séjour chez Mère Teresa

ISBN 2-920417-33-9
1. Teresa, Mère, 1910 —   . 2. Beaudry, Thérèse, 1926 —   .
3. Missionnaires — Inde — Biographies.   4. Religieuses — Inde — Biographies.
I. Titre.
BX4705.T47B42   1988   266'.2'0924   C88-096173-2

COUVERTURE: Photographies Thérèse Beaudry
            Conception graphique P. et G. Pusztaï inc.
PHOTOGRAPHIES DE L'INTÉRIEUR: Thérèse Beaudry et Fame Pereo

© Éditions du Méridien — 1988

ISBN 2-920417-33-9

Dépôt légal 2e trimestre 1988 — Bibliothèque nationale du Québec

* Division de Société d'information et d'affaires publiques (SIAP) Inc.

Imprimé au Canada

À Calcutta, avec les pauvres de Mère Teresa, tu ouvriras un dialogue avec tes frères!

Cette grâce reçue le Vendredi saint 1980 m'a soutenue tout au long de ce pèlerinage: accueillir au fond de son cœur les zones les plus profondes du dénuement humain, et ainsi, devenir frère universel ou sœur universelle; laisser filtrer en soi la lumière divine dans sa grande pureté: la recevoir de Mère Teresa.

Toucher une sainte, être touchée par elle. Vivre dans sa réalité la plus dépouillée le respect de la personne humaine.

Travailler avec les pauvres, dans chacune de ses maisons, avec ses sœurs: les Missionnaires de la Charité, créer le contact, la confiance et engager le dialogue.

Partager l'amitié et le travail avec les bénévoles de tous les pays: vivre ensemble l'esprit de Mère Teresa reçu et goûté dans ses écrits.

Pénétrer dans ce monde de l'Inde par des contacts, des rencontres. Engager avec vous un dialogue, vous rencontrer au cœur de vos expériences humaines. M'émerveiller avec vous du miracle de l'amour gratuit et de la joie du don!

T. B.

PRÉFACE

En terminant le récit de son itinéraire, Madame Thérèse Beaudry donne quelques conseils aux personnes qui désireraient vivre son expérience. Elle recommande au pèlerin de Calcutta de se procurer le Guide Bleu sur l'Inde (édition Hachette).

Après la lecture de son livre, je peux vous affirmer que l'auteur vous introduira dans le sanctuaire de la charité que Mère Teresa a édifié par une action persévérante, et surtout, par une prière incessante.

Madame Beaudry raconte en appliquant son intelligence à chercher l'explication des faits apparents, mais elle a vite compris que seule la vision du cœur pouvait saisir la vraie signification des gestes de cette armée de femmes qui acceptent de vivre, à chaque instant, les dangers des combats que la charité doit livrer pour triompher contre les assauts de toutes les misères qui élèvent une muraille sur la route de l'humanité.

L'action de Mère Teresa ne peut pas être réduite à un phénomène naturel. La puissance du rayonnement d'une personnalité peut être extraordinaire. Les Bâtisseurs d'Empires ont laissé des vestiges de leur passage sur les routes du monde.

Les pyramides d'Égypte perpétuent la mémoire des pharaons, mais la gloire de leurs armées repose dans le linceul de l'oubli ou dans les abîmes des misères du Tiers-Monde.

Dans la lettre qu'il a consacrée aux problèmes sociaux de l'heure, le Pape Jean-Paul II décrit bien les obstacles que l'humanité rencontre sur sa route vers le bonheur. Il appelle ces obstacles «Les structures du péché». Ce terme nouveau ne désigne pas les murailles de nos péchés personnels, mais bien ces réalités que nous découvrons dans le tissu social: égoïsmes collectifs, confrontations et compétitions féroces, passions de l'avoir pour conquérir le pouvoir.

Ceux et celles qui veulent renverser ces murs doivent être revêtus par l'armure des Béatitudes évangéliques, comme:

«Le poète glorifie ces preux qui dorment dans leur armure.» (Victor Hugo)

Madame Thérèse Beaudry a vécu assez longtemps aux côtés de Mère Teresa pour affirmer que le seul cliquetis des armes qu'elle ait entendu à Calcutta était celui de la chaîne du chapelet que la Mère tient toujours entre ses doigts.

J'ai lu ce livre avec un grand intérêt, car la description des lieux où l'auteur a vécu est d'une telle exactitude que j'avais la sensation de découvrir l'empreinte de mes pas inscrite dans cette poussière de Calcutta où je suis passé trois fois.

En terminant, je formule un souhait: que ce vent de Pentecôte qui souffle à Nirmala Sichu Bhavan, à Titagath, à Prem Dan et surtout dans «le Mouroir» entre dans nos murs et entraîne nos œuvres dans une vitesse de croisière apostolique jusqu'aux rivages de tous les continents de la terre. Ainsi, quand le Seigneur nous apparaîtra sur les nuées de l'Éternité, nous pourrons Lui offrir un monde meilleur!

+ P.S. Card. Léger

CARDINAL LÉGER
Le 4 mai 1988

LE DÉPART

Le quatorze décembre, jour de rafale et de froid pour le Québec... «C'était donc vrai!» de murmurer Laurent, mon frère! Laissant aux mains de Simone, sa femme, mon manteau chaud, vêtue d'un simple ciré noir, une valise à main pour tout bagage, je me laisse emporter vers Mirabel, déjà seule dans cet omnibus commun aux voyageurs au long cours. L'horizon est fermé par une précipitation de neige. Le trajet est d'abord tracé vers l'intérieur...

Je tiens en main mon billet pour Calcutta. Au tableau des départs: Vol 972, porte 97, décollage prévu à 7 h 30, remis à 11 h 30. Je savoure ces quatre heures d'attente. Elles me permettront d'écrire l'aurevoir aux amis que je n'ai pu rejoindre avant mon départ.

Je me sens heureuse. L'aventure depuis longtemps rêvée devient réalité. Tout mon être est éveillé, vibrant, réjoui devant cette expérience nouvelle. J'ai peine à contenir ma joie. Mon désir serait de la crier à tous aux quatre vents.

Siège 35-A, près du hublot, au-dessus de l'aile gauche; compagnie discrète, un Londonien d'origine tchékoslovaque. Arrivée à Londres à 11 h 30... décalage horaire... temps relatif...

«Oui, le départ est bien inscrit à 17 h 15, mais il est reporté à 19 h 05». J'ai donc une nuit à passer à l'aéroport, non la dernière de ce voyage, mais une nuit vivante, sans sommeil car je n'ai ni l'audace, ni l'aisance des premiers Indiens que je rencontre, qui s'emparent de l'immense plancher de cet aéroport. Je les envie, les voyant ainsi étendus, parfaitement à l'aise, drapés de leurs burnous et de leurs couvertures bigarrées et chaudes.

Vol BOA II, siège 33-A, porte 8. Je m'installe à nouveau près du hublot, suivie d'un couple d'Anglais, d'excellente compagnie. (Ils ont un frère, économiste au gouvernement Trudeau et visiteront très bientôt le Canada.)

L'avion, comme prévu, est rempli à craquer d'Indiens accompagnés de leurs enfants et de Londoniens en costumes corrects, vacanciers de ce pays de rêves gonflés par l'imagination des conteurs.

Arrêt à Muscat, République d'Oman, annoncé pour 15 h 30, corrigé en 17 h 20. Cet aéroport impressionnant de modernisme et de beauté architecturale ressemble à une sorte de mosquée païenne aux arcades blanches se dessinant sur un ciel pur, coupant le désert dans une oasis de palmiers et de fleurs. Les escaliers roulants nous montent très haut dans des salons dorés où, dans des attitudes savamment étudiées, les magnats du nouvel or promènent fièrement leur stature de maîtres. Têtes parfaitement arabes, drapées de turbans noirs posés avec un art raffiné sur des épaules droites, ils arborent avec grâce les dernières lignes du complet américain.

Je savoure ce dépaysement gratuit et inattendu dans le nouveau monde de la richesse, de l'élégance, de la culture. Sonne le coup de 19 h, marquant pour moi la dernière étape de ce long voyage vers la pauvreté et le dénuement.

Mardi, le seize décembre, 11 h 30, après vingt-huit heures de vol, enfin l'atterrissage espéré: Calcutta, en Inde.

Température: 24° Celsius (75° Fahrenheit), brise rafraîchissante. C'est la période la plus froide de l'hiver en ce pays.

À l'aéroport, je croise un jeune Anglais, passager du même avion, qui vient aussi travailler avec Mère Teresa. Je me sens rassurée. Deux dames parlant français m'interpellent. Elles ont une réservation dans un bon hôtel... Moi, pas...

Église Saint-Jacques, en face de la pouponnière.

La pouponnière: le bâtiment offert par le Parti du Congrès à Mère Teresa.

«LE SIGNE DE DIEU»

Dans mon for intérieur, j'attends «un signe», attestant que ce voyage n'est pas un acte de bravoure, mais bien une réponse à cette invitation du Seigneur: «À Calcutta, avec les pauvres de Mère Teresa, tu ouvriras un dialogue avec tes frères...» Jésus ne s'est-il pas incarné dans la pauvreté, comme un frère, afin de nous parler de son Père comme de notre Père?

C'est à l'immigration que joue la magie du nom de Mère Teresa, prononcé en réponse à la question des douaniers.

— Combien de temps passerez-vous en Inde?

— Quatre mois, dont trois à travailler avec Mère Teresa. Et voilà des officiers de douane transportés de joie, fermant vite mes bagages non vérifiés, remettant dans mes mains, sans même le regarder, mon passeport. Cela, je n'ai pas eu l'occasion de le voir, ni au Caire en Égypte, ni à Jérusalem en Israël. Ceux qui ont été soumis aux longs interrogatoires de ces pays, me comprennent... À Calcutta, j'aurais pu déclarer: «Dynamite!» et ils n'auraient même pas entendu. Ils étaient ailleurs, quelque part en compagnie d'une nouvelle sainte des Indes: Mère Teresa!

L'un des douaniers me présente à deux docteurs en médecine qui se chargeront gratuitement de me conduire à la maison de Mère Teresa, où ils ont à livrer un colis venant de Saint-Louis, Missouri. Leur voiture est de luxe: une Triumph anglaise; médecins, ces deux hommes se dévouent auprès des enfants de Mère Teresa. Une fois rendus à destination, ils poussent la gentillesse jusqu'à m'annoncer à la Mère en personne et, prenant congé de moi, ils refusent toute gratification.

Me voici au parloir de la Maison mère, dans un moment de silence et de lumière, attendant, sans trop y croire, l'arrivée de celle dont tout le monde voudrait «toucher la frange de son vêtement». Arrivent un Japonais bouddhiste, silencieux et recueilli, et deux Indiens de l'administration de la ville, fort excités. Ils me pressent de questions.

Mère Teresa se présente, je m'agenouille à ses pieds. Elle me prend dans ses bras et me serre sur son cœur avec tellement d'amour! Elle écoute mon nom, le nom de mon pays. «Avez-vous écrit?» demande-t-elle. «Non, j'ai lu dans vos livres que nous pouvions venir de tous les coins du monde travailler avec vous. J'y ai cru et je suis venue!» Son sourire s'illumine. Cette femme de foi, conquise peut-être par ma confiance sans limite, m'accueille.

J'admire sa sollicitude, son attention à ce moine bouddhiste venu humblement offrir sa vie aux pauvres de l'Inde comme elle-même a offert la sienne.

Elle approuve le projet d'une piscine pour les enfants, et s'inclinent très bas ces officiels du Gouvernement qui baisent les pieds de Mère Teresa. Devinant ma surprise, «C'est, dit-elle, la coutume bengalie.» J'avais été témoin, au Centre Monchanin, à Montréal, de ce geste posé envers un prêtre par le responsable des lieux. Cette pratique est très belle; elle ne peut passer inaperçue.

Maintenant seule avec la Mère, elle presse mon bras de sa main ferme et me conduit à sœur Henriette, supérieure de la maison, une blonde Australienne impeccable dans son sari blanc et bleu. Elle-même me confie, après quelques paroles, à deux jeunes novices: sœur Christinita, dix-neuf ans, du Bengladesh, et sœur Yvone de Bombay, toutes deux bien expérimentées dans l'art de choisir un taxi qui veut bien se déranger et qui connaît le chemin menant à un hôtel pas trop loin et qui ne soit pas rempli à craquer.

Mais les vacanciers anglais ont bouclé tous les hôtels des habitués de Mère Teresa. Le désir secret de mon cœur est exaucé: habiter dans la communauté des Missionnaires de la Charité pour mieux connaître l'œuvre et les petites sœurs... «Habiter la maison du Seigneur, tout au long de mes jours», comme dit le psalmiste.

CHEZ LES MISSIONNAIRES DE LA CHARITÉ

Me voici donc au 78 Low Circular Road, chez les Missionnaires de la Charité, à la maison Nirmala Sichu Bhavan, située à côté de la pouponnière, l'œuvre chère entre toutes au cœur de la Mère. Je suis installée dans une chambre carrée qui sert aux invités de marque, aux religieuses en transit. Une petite sœur très brune, sûrement originaire du sud, et dravidienne de race, m'apporte un pot d'eau fraîche, un léger souper avec un bol de café. La nuit sera bonne et bienvenue.

Je me remémore les incidents colorés de cette journée; ce long trajet en Triumph, au milieu de tant de vie grouillante, de voitures tirées par des hommes, d'enfants à qui je pouvais distribuer des bonbons. De l'aéroport à Low Circular Road, j'ai vraiment patrouillé Calcutta: Place du nouveau marché*, dans le style des centres commerciaux de nos villes, autoroutes élevées, rues encombrées, enfumées et bruyantes où les coups de klaxons multipliés à plaisir, les bruits désordonnés des automobiles aux silencieux percés concourent à une pollution sans contrôle.

À la recherche d'une chambre d'hôtel, j'ai noté le respect, l'empressement des gens à rendre service aux

* «New Market».

21

Petites Sœurs... Leur présence est présence de Mère Teresa, et Mère Teresa est cadeau de Dieu au peuple de l'Inde, et l'Inde est capable de l'accueillir. Mahatma Gandhi ne nommait-il pas son pays: la Mère Inde*... L'Inde c'est «féminin»... La tendresse du Très-Haut est manifeste dans le cœur de ce peuple que j'ai le goût de nommer «peuple élu».

Je m'éveille. La température, hier de 24° Celsius, a légèrement baissé. La brise est fraîche. Mes yeux grands ouverts font le tour des lieux: d'abord le lit au-dessus duquel un baldaquin léger est suspendu à des fils créant une atmosphère vaporeuse, irréelle. Il m'enveloppe littéralement. Je soulève le matelas mince et dur et mes mains touchent une plaque de métal froid. La pièce est toute blanche, spacieuse; le plafond élevé. Dans la pénombre se dessinent et prennent vie, comme hors du temps, des meubles non peints, sans autre ornement que l'usure des ans, sans autre vernis que la patine du temps. Ils sont posés là, comme immuables, sur les tuiles rouges du plancher creusées elles aussi par un long usage. C'est une cellule monastique...

Dans un coin de la pièce, deux seaux d'eau limpide, sans doute pour les ablutions matinales. Sur un long fil traversant la chambre, des linges propres ondulent sous la brise légère, qui pénètre, soit dit en passant, par une fenêtre grillagée, mais libre de vitres.

La lumière se fait de plus en plus pure. Elle dessine des ombres sur toutes ces choses sacrées et remplies de mystère. Je retiens mon souffle pour ne rien troubler. Je me glisse hors de mon lit et j'ose ouvrir la porte qui cède sous la pression délicate de ma main. Un craquement

---

* «Mother India».

léger, et s'allonge devant moi une étroite galerie bordant le monastère. Un muret me sépare de la cour de sable où jacassent, cachées dans un coin, des oies domestiques. La brume matinale s'élève vers un univers rempli d'oiseaux aux voix nouvelles et claires. Un corbeau est perché sur une voiture vétuste et participe à cet orchestre qui nous emporterait bien haut dans ses mélodies subtiles, hors ce croassement qui suggère, telle une percussion, une réalité cruelle et dure.

Il est quatre heures du matin. Bientôt s'anime la maison avec le chant du coq claironnant son appel à la vie et au travail. Une petite sœur en sari blanc, aussi immatérielle que les lieux, me fait signe de la suivre: c'est l'heure d'oraison. À pas feutrés, nous atteignons l'étage supérieur, ouvert sur une chapelle déjà remplie de lumière. À la porte, des sandales de toutes grandeurs, moulées à toutes les formes de pieds, reposent bien alignées, attendant les heures de vie active. Saisissant l'invitation au respect, à mon tour, je dépose mes souliers.

Pieds nus sur les lisières de tapis tissés de coton non blanchi, je m'agenouille. Le recueillement me rapproche et m'unit à cette réalité nouvelle: formes blanches enveloppées par le silence et la plénitude des lieux, assises sur leurs talons, le sari couvrant pudiquement leurs pieds nus, les Missionnaires de la Charité prient.

Par moments, une voix s'élève, cristalline comme une source, et plonge les cœurs dans une cascade vivante: la Parole de Dieu. Un chant monte, semblable à la plainte du vent dans la forêt, caressant de si près la terre, qu'on le dirait sorti de ses entrailles. Le silence surgit des profondeurs et habite ces lieux.

Mère Teresa, humble et solennelle, la tête courbée par l'âge, les mains rudes et dignes, nouées sur un chapelet, s'agenouille, baisant presque la terre, tirant sa robe sur ses pieds. Elle disparaît dans l'humilité de sa rudesse native, à qui tant d'amour reçu de Dieu a conféré une incomparable grâce. On dirait une épouse parée de l'intérieur de tous les joyaux dont elle est si complètement dépossédée.

Le prêtre qui s'avance pour célébrer la messe fait partie de cette unité priante, de cette liturgie qui s'exprime en profondeur: voici le Corps du Christ, prenez et mangez... voici l'Amour du Christ, prenez et buvez... faites ceci en mémoire de Moi...

Ses paroles au moment du sermon touchent ces vierges consacrées, les blottissent dans le Cœur de l'Immaculée.

La Paix! Un salut gracieux de la tête et des épaules, les mains jointes, Mère Teresa se retourne vers moi, esquissant un sourire des yeux. C'est pour moi un moment de transparence dans le cœur de Dieu.

Ite Missa est... et la procession des icônes vivantes que sont ces religieuses vient me ravir à nouveau, me transportant très loin dans quelque chapelle byzantine où les murs, couverts de ces images consacrées, forment un buisson ardent. De ce buisson monte la Parole de Dieu: «Ôte tes sandales, la terre que tu foules est sainte!»

Après la messe, la joie des Sœurs fuse en la présence de l'officiant, jeune prêtre de Madras, ville chrétienne d'où naissent un grand nombre de vocations missionnaires. C'est un compagnon d'enfance pour quelques-unes, un conseiller prudent pour les autres; pour toutes, un grand ami.

Ce même matin me réserve une joie très grande: Mère Teresa en personne se rend à ma chambre pour m'accueillir et vérifier la convenance des lieux. Sans mot dire, elle se fait complice de mon désir secret. Elle est réponse vivante à ma prière intérieure: rencontrer Mère Teresa et rencontrer Dieu.

Les Missionnaires de la Charité sont des moniales. Personne n'est donc admis à leur table ni à leur récréation. Ces moments de détente appartiennent jalousement à la vie communautaire qui les unit. Je suis par le fait même cloîtrée dans ma chambre, ermite au milieu de la communauté. À l'affût de ses gestes quotidiens, j'en découvre la beauté.

Intriguée par les bruits qui brisent le silence de mon isoloir, j'entrouve discrètement la porte. Un spectacle se déroule sous mes yeux: le ménage de la maison. Descendant l'escalier, longeant le corridor, bouleversant le réfectoire, une armée de petites sœurs, un long torchon mouillé tendu à bout de bras, parcourent, penchées et à reculons, tout l'espace qui est ainsi remis à neuf chaque matin. Je prends un réel plaisir à pratiquer, dans ma chambre, cette technique habile. Mon torchon mouillé et tordu, je m'exerce de gauche à droite et de droite à gauche, dans un mouvement circulaire sans m'agenouiller, et je découvre, en plus de l'efficacité de la technique, une nouvelle souplesse à mes membres. Vous dire que le sourire m'en vient aux lèvres est superflu.

Mais à peine sortie de cet apprentissage inusité, voici qu'une procession passe tout près de moi. Chacune des sœurs, un seau à la main, se dirige au grand lavoir de la communauté pour le nettoyage quotidien du sari et de la robe de coton. La légende veut que la pauvreté des sœurs soit telle que tout leur avoir tient dans un seau. Une journée passée dans ce pays, sans pluie et sans neige durant de longs mois, fait comprendre la nécessité de ce rituel d'entretien. Je prends donc mon seau et, n'osant me mêler aux religieuses, je sors sur la galerie et je lave aussi ma robe de coton. Quelle surprise de découvrir la douceur de l'eau et l'efficacité du savon du pays. Il n'y a donc rien ici à regretter de nos techniques modernes, ni de l'encombrement de nos garde-robes surchargées.

Chaque sœur possède trois saris, deux robes de coton et un vêtement chaud, veste ou châle coupé dans une couverture blanche en laine du pays.

Ma garde-robe à moi: deux tuniques en coton, des gilets des Floralies, une jupe en coutil, une veste de laine et un ensemble à boléro doublé pour le chic et pour le froid.

Sonne l'heure du repas. Rayonnante de la joie du matin, une religieuse dépose sur ma table le thé au lait indien, le pain, la margarine et les bananes. Elle m'assure que c'est bien là le déjeuner frugal des sœurs, que j'ai demandé à partager sans aucun adoucissement.

LA POUPONNIÈRE DE
NIRMALA SICHU BHAVAN

«Venez avec moi à la pouponnière» me dit, joyeuse et engageante, Marie Anandini, en précisant le sens du nom qu'elle porte à ravir: «celle qui donne la joie». Un nom donné, comme tous les noms de ce pays, que l'on glissera à mon oreille comme une musique; un nom donné avec une intuition naturelle et prophétique qui fait surgir l'âme, le caractère de chacun, sa relation avec l'univers. Je me le répète, écoutant la sonorité de ses douces syllabes: a-nan-di-ni! Un lien fraternel se tisse entre la joie qu'elle donne et celle que je reçois.

Nous traversons un immense couloir débouchant sur cette cour aperçue à l'aube. Nous montons en silence l'escalier majestueux, nous arrêtant sur le porche enjolivé d'arabesques délicates en fer forgé, peintes en vert clair. Indira Gandhi a fait le don de cette maison à Mère Teresa pour les enfants abandonnés. Je considère avec admiration les riches boiseries, les couleurs châtoyantes des murs, la finesse des dessins ornant les tuiles du parquet. Tout ici évoque les rencontres fastueuses des officiels du gouvernement, qui jadis ont occupé l'immeuble.

Des enfants accourent, se précipitent dans nos bras, s'accrochent à nos jupes. Nous les cajolons, les élevant bien haut dans les airs, puis nous les entraînons avec nous dans ce large escalier aux rampes sculptées, couleur d'ébène. Ces enfants, «les grands de la maison», habitent au rez-de-chaussée, depuis leurs premiers pas jusqu'à l'âge de sept ans.

Au premier étage, un large déambulatoire éclairé par des fenêtres luxueusement vitrées. Un hall pour l'accueil des visiteurs. Et s'ouvrent des portes immenses sur un spectacle impressionnant: dans des berceaux alignés dans un ordre parfait, des bébés joliment vêtus et couverts délicatement par des mains maternelles, dorment en paix, beaux à ravir! L'atmosphère de vie et de joie qui règne dans cette maison me soulève et m'entraîne. Je voudrais les voir tous à la fois; je voudrais les regarder et les prendre un à un. Qu'ils sont beaux avec leurs grands yeux noirs, leur peau bise et leurs jolis traits d'enfants indiens!

Marie Anandini me présente par leur nom ceux qui sont éveillés en les prenant dans ses bras. Ils tendent vers moi leurs petites mains et me sourient comme des enfants aimés et choyés.

Aucun bracelet à leur poignet, comme dans nos pouponnières, je comprends que l'amour, ici, règne et que amour est connaissant et reconnaissant. Moi qui cherche dans les livres savants, j'ai encore beaucoup à apprendre de la vie et des êtres aimants. La pouponnière sera ma nouvelle université, celle où les entrailles deviennent savantes!

Je ne vois aucune bénévole de race blanche. Je suis émue, intimidée aussi par mon manque d'expérience, mais rassurée par la présence de cette jeune sœur qui m'accueille et m'introduit dans son monde quotidien.

Nous sommes admis aux chambres privées où les bébés malades reçoivent des soins particuliers. Parmi eux, des prématurés, bénéficiant de toutes les ressources de la science moderne et veillés par des figures maternelles

Les couturières de la pouponnière.

Scène de lavoir.

penchées à tout instant sur le moindre de leurs besoins, sont sauvés de la mort. Revenue dans la grande salle, je marche, attendant une invitation à tenir dans mes bras un enfant qui pleure, à changer la couche d'un autre qui s'éveille mouillé, à donner le biberon aux heures du boire, à qui est le plus assoiffé.

À sept heures vingt du matin, que d'activité en ces lieux! Planchers, berceaux, tout est lavé et désinfecté. Je revois cette vieille dame penchée sur les tuiles, son grand âge ne lui permettant pas un travail plus délicat. Avec quel empressement elle me demandera plus tard de prendre son portrait.

Puis vient la toilette des poupons. Cette opération me plaît moins car elle sent l'efficacité nord-américaine du travail à la chaîne. Une équipe s'affaire aux baignoires, l'autre à l'essuyage et à l'habillage. C'est la journée des novices et une charmante jeune sœur, qui porte un nom de chanson, sœur Marinella, bien en chair, bien en vie, me tend un bébé tout enveloppé d'une grande serviette. «Voici pour vous», me dit-elle, «vous pouvez l'habiller». C'est ainsi que petit à petit je m'intègre à l'équipe. J'en suis ravie et je suis rassurée par la personnalité exceptionnelle de ce jeune chef d'équipe, qui élargit l'espace de son sourire sans détour.

Près des fenêtres, dans le soleil du matin, un groupe de femmes donnent des massages à l'huile à tous les enfants qui ont des faiblesses aux jambes, et dont les corps chétifs tardent à s'arrondir et à s'animer, aussi simplement qu'elles donnent le sein au bébé qui naît. Cette technique prend ici sa source dans des gestes naturels que les mères ont enseignés à leurs filles. Je m'arrête longuement devant toutes ces femmes dignes et nobles, comme des grandes dames qu'elles sont, sans argent, sans logis peut-être, qui viennent prendre soin des enfants en échange de leurs repas quotidiens. Je les approche avec tout le respect qu'elles m'inspirent, démystifiant un peu cette culture si différente de la mienne. Dans ce décor de roi qu'est la pouponnière, elles m'apparaissent sorties de quelque tableau ancien de la noblesse flamande, plus dignes encore que les petites sœurs qui forment l'équipe dirigeante, plus profondément humbles et simplement au service de la vie.

Les rayons solaires qui les baignent m'attirent sur un balcon arrière. Ma vue plonge au fond d'une cour intérieure. Là se trouve un lavoir où, assises ou penchées, les lavandières blanchissent le linge de la maison. Calmes et mesurés sont leurs gestes. Ici, tout part du cœur et de l'âme. «Les gestes du don», dira Mère Teresa. Ils sont simples et empreints d'une noble grâce. Ce lavoir m'attire comme un coin de silence total, au milieu des aboiements des chiens et du chant des coqs, des mille bruits de la ville proches et lointains à la fois.

Je rentre pour le dîner et comme sortie d'un rêve, je tente de m'orienter dans les lieux. La pouponnière est un bâtiment séparé du couvent Nirmala Sichu Bhavan par une large cour intérieure. Cette dernière est isolée de la rue par un mur de planches d'environ trois mètres de hauteur, qui s'ouvre par de grandes portières où se tient constamment un gardien, et par lesquelles entrent les camions et les nombreuses camionnettes marquées d'une croix rouge, les ambulances de la communauté qui servent à tout usage.

Sichu est recouvert de crépi jaune soleil. Ce bâtiment est immense et comprend, outre le logement des sœurs, toute une aile d'hôpital où sont soignés les enfants pauvres de la ville. La construction est en béton, les murs en plâtre solide. Je remarque les pièces spacieuses, les corridors, et les baies bien carrées, conçues selon la pensée de l'Inde qui considère cette forme parfaite et certaine. Toute construction part d'un *Mandala*: un carré où s'inscrit l'homme, perfection de la création, qui lui-même contient l'univers. Les pièces sont dépouillées, le silence baigne toutes choses et la paix atteint le cœur.

De midi à une heure, c'est la prière à la chapelle. Puis vient le dîner, suivi d'un temps libre. Le travail reprend à quinze heures. C'est une journée brumeuse et mes armes affutées pour la chasse aux images resteront cachées. Un long après-midi de travail mobilise à nouveau les petites sœurs qui remontent l'escalier du deuxième en se taquinant, se racontant des anecdotes amusantes. J'arrive à donner la réplique en anglais et à saisir assez bien leur langage pour rire au bon moment, et ainsi me sentir de l'équipe. La chef en est la brillante sœur *Mandala*, nom très prétentieux car le Mandala comme nous l'avons vu, est la forme de base qui contient la totalité de l'univers.

Sœur Lidwina, cette délicate indienne cultivée en est l'infirmière. Elle revient des Philippines. Je l'aimerai avec tendresse. Elle deviendra ma sœur et nous passerons de longs moments à causer de ses missions lointaines où elle a laissé une partie de son cœur et au travers desquelles elle a conquis toutes les dimensions de sa délicate personnalité. Elle me rappellera ce cousin qui, depuis plus de quarante ans, s'est fait Philippin avec cette nation subtile et attachante.

Sœur Lidwina donne les médicaments aux bébés, aidée d'une jolie et candide Indienne qui, à ses heures, accepte de chanter pour nous. Elle glisse à mon oreille: «Dites! vous voulez bien m'amener avec vous au

Canada?... Je n'ai plus ma mère, je n'ai pas de frères... je rêve de votre beau pays...»

C'est une tâche ingrate que de faire avaler des potions aux enfants malades. Il faut du doigté et de la détermination. Après la tournée, sœur Lidwina se dirige vers la chambre des malades. Elle en revient portant un bébé aux yeux immenses et tristes et le dépose dans mes bras. «Je vous le confie, me dit-elle, ce bébé n'arrive pas à guérir». Ainsi, Biswardith («Soleil éclatant») deviendra mon jeune ami qui me réclamera tous les jours et avec qui je prendrai le temps de rencontrer personnes et choses, d'écouter bruits et musiques, moi prenant racine, lui prenant vie.

Je dois dire que dans mon cœur, je ne l'ai jamais quitté, ni lui, ni sœur Lidwina, ni la pouponnière et tout son monde. Il en va pour moi comme pour un enfant: la maison où on a vécu sa première rencontre avec la vie et avec les choses, on y revient toujours...

Blotti tout contre moi, les petits poings bien fermés, Biswardith s'est endormi paisiblement. Marie Anandini, accompagnée de son amie Maria Rosita, me rejoint dans ma contemplation muette. Je le dépose délicatement dans son berceau et nous nous éloignons.

Ce refus de vivre de Biswardith me fait toucher du doigt le besoin que manifestent déjà certains petits d'avoir une mère bien à eux. La question se pose alors en moi: «Que deviennent ces petits enfants? L'adoption par les familles indiennes est-elle suffisante? Tant d'enfants naissent dans ce pays» — «Bien sûr que non, de me répondre Maria Rosita, et ce sont nos amis de l'Italie, de la Belgique, de l'Allemagne et de la France, où nous avons des missions, qui demandent à adopter ces petits. Mais, nous en sommes les vraies mères. Nous écrivons aux parents adoptifs et, chaque année, ils nous envoient des photos... Vous verrez les albums de famille. Nous gardons le contact jusqu'à la majorité des enfants.» Je n'ose y croire. Ah! Ces Indiennes pleinement responsables, transférant pour ainsi dire aux parents d'adoption ce lien maternel qu'elles ont noué pour la vie!...

J'en nourris ma méditation. Ici Dieu est perçu dans les humains, et la consécration, la vraie, celle qui lie les hommes entre eux, et les hommes à Dieu, est vécue jusqu'au fond des entrailles. Là se distille l'amour et le geste y prend tout son sens et sa grâce.

JOUR DE LA DISTRIBUTION

Ce n'est pas à quatre heures que je m'éveille ce matin, mais bien deux heures avant l'aube, ne comprenant pas l'agitation de la foule déjà descendue dans la rue. J'aurais peur sans ces murs, ces barrières et ces gardiens. Je me demande s'il s'agit d'une émeute à caractère politique: le Bengale est rongé par le communisme et Indira Gandhi n'a pas que des amis dans cette province.

Au lever, une religieuse me rassure: «C'est le jour de la distribution, et ce sont les pauvres qui arrivent aux petites heures pour ne pas manquer leur tour. Vous viendrez dans la cour après sept heures. Ne manquez pas d'apporter votre appareil-photo.»

Dans la cour intérieure de Sichu règne une agitation inhabituelle. Des hommes portant dotthis* et turbans transportent des sacs et placent des barils tout autour de la cour. Toutes les sœurs de la maison sont de la partie et des religieuses amies sont venues prêter main-forte. Munies de grands tabliers blancs, les unes sont déjà installées près des barils remplis de riz, de dal, de thé, de lait en poudre, préalablement séparés en portions dans des sacs en polythène soigneusement attachés. D'autres tiennent de grands vaisseaux à grande anse, prêtes à verser le

---

* Dotthis: sorte de pagne porté par les hommes.

précieux liquide: l'huile de la veuve de Sarepta qui se multiplie par sept mille...

Et s'ouvrent doucement les portes de l'espoir, et s'allonge le défilé des amis des sœurs, les vrais pauvres, qu'elles visitent fidèlement. Ils tendent la carte portant le sceau de la communauté, en guise de billet d'entrée à la fête. Car c'est pour fêter Noël convenablement que chacun reçoit sa portion de nourriture qu'il partagera avec sa famille. Chacun repart avec son trésor de bonheur donné et reçu gratuitement. L'animation de cette journée est exceptionnelle et dure jusque vers trois ou quatre heures de l'après-midi. Il est passé sept mille personnes et, les bras brisés par tant de gestes d'offrandes, les sœurs n'auront en ce jour gardé pour elles-mêmes que le plus frugal de leur repas. Elles auront, comme aux premiers jours de la communauté, «tout donné» afin de se remettre à Dieu les mains vides et le cœur plein d'une confiance absolue en la divine Providence qui continue envers elle et envers les pauvres son miracle quotidien.

Sept mille indigents ont reçu aujourd'hui nourriture et réconfort. J'ai vu les monceaux de paquets de cartes jaunes soigneusement ficelées, bien comptées par centaine: preuve indiscutable de ce chiffre que je fais répéter, n'osant en croire mes oreilles. Et d'ajouter la religieuse, simplement: «On ne vous voit pas souvent dans cette cour. Nous y distribuons, chaque jour, plus de cinq cents repas!»

Les cartes jaunes indiquent que ces personnes sont connues et visitées par les sœurs. Une anecdote illustre l'esprit de confiance absolue en la divine Providence qui a inspiré Mère Teresa au début de la communauté. Le soir tombait sur une rude journée de travail. Mère Teresa se présenta au bureau de son conseiller spirituel, le père André. «Quoi faire, dit-elle, nous n'avons plus que dix roupies et c'est l'heure du souper?» «Donnez-les!» de répondre le prêtre. Un pauvre se présente et ce fut fait! Et de dire la Mère à la communauté: «Nous n'avons rien à manger, nous prierons!» Par la suite, une personne frappe à la porte, portant la nourriture pour un repas convenable, en disant: «Dieu m'a inspiré de vous apporter ce soir à souper...»

Mère Teresa a dit quelque part que la plus grande souffrance humaine n'était pas la pauvreté ou la maladie, mais d'être perdu dans l'univers, de n'être rien pour personne... D'autre part, le «Petit Prince» a réveillé dans les cœurs la valeur de l'amitié. «Apprivoise-moi, dit le renard, ... tu te mettras d'abord loin, et puis chaque jour, tu pourras t'approcher davantage...» Puis: «On est responsable pour toujours de ce que l'on a apprivoisé». Biswardith et moi, nous nous sommes apprivoisés, et chaque matin, à la même heure, quand je traverse la cour de sable jaune et que les oies viennent me jacasser les nouvelles de la nuit, je monte l'escalier, avec au cœur «mon petit soleil»... Il me reconnaît, et je le reconnais entre mille bébés du même âge.

Personne ne sait d'où vient Biswardith. La police l'a trouvé quelque part, déposé par quelqu'un. Tout le monde sait qu'il est beau; moi, je sais à quel point il est intelligent et curieux. Il lui faut toujours découvrir du nouveau. J'ai appris sa fine sensibilité, la grâce de sa petite personne.

Mais ce matin, Marie Anandini m'attend. «Vous n'êtes pas venue hier, me dit-elle, vous êtes restée avec les pauvres à la distribution... Eh bien! Biswardith a été malade. Il vous réclamait!» À proximité de son berceau, je le vois pleurer dans son oreiller. Malade ou malheureux? Ce petit vit un stress d'abandon, comme diraient les savants psychologues et, faute d'une attention particulière et soutenue, il dépérit.

La journée entière, blotti dans mes bras, il se tait, sourit même et devant toute chose nouvelle, il ouvre ses yeux immenses et tristes. Cette inquiétude profonde de l'enfant m'atteint en plein cœur, je ne comprends que trop ce langage... Mais que puis-je pour lui qui le guérisse? Je ne peux mentir et lui promettre un amour éternel... Alors, je prie le Père des cieux, et comme les apôtres, ne sachant comment prier, je m'adresse à Jésus. Et je reçois cette réponse, que je chante sur tous les tons, dans les oreilles de Biswardith:

You have Mary for mother,
you have Jesus for brother,
God is your father,
So, alone, you're never!*

Ce chant tombe dans son cœur comme une grâce du ciel: Dieu le Père se fait présent pour lui, et voilà que s'illuminent d'une sécurité joyeuse les grands yeux noirs de Biswardith qui ne sont plus jamais tristes, mais enjoués et taquins comme ceux d'un bon petit bonhomme heureux qu'il est devenu. À vue d'œil, un à un, ses malaises disparaissent. Il guérit!...

Biswardith a bien dormi. Ce matin, il mange toute sa pitance. Comme un grand garçon, je l'installe dans une poussette. Il s'y blottit câlinement, sans un pleur. Le soleil illumine ses yeux doux, la brise caresse son visage comme le cœur et le souffle de Papa Bon Dieu. Les mères qui donnent leur temps à la pouponnière s'arrêtent sur notre

---

*   Marie est votre mère,
    Jésus est votre frère,
    Dieu est votre père,
    Vous n'êtes plus jamais seul.

passage pour lui parler, lui faire des bises, et puis, me regardant, me lancent une boutade: «Il vous a eue ce petit!» Oui, il m'a tellement eue que j'ai fait toutes les démarches pour qu'il vienne ici, au Québec, lui et une petite fille à qui j'ai donné la même attention. Mais les religieuses les avaient déjà confiés à une famille indienne. Qui sait si je reverrai un jour Biswardith, avant le Paradis? Il restera toujours dans mon cœur comme un grand soleil aux yeux sombres, à qui Papa Bon Dieu s'est révélé vraiment comme «notre Père qui est aux Cieux».

LE VINGT DÉCEMBRE:
LE NOËL DES ENFANTS PAUVRES

Maria Rosita et Marie Anandini me portent toutes deux une attention touchante. «C'est la fête des enfants, Thérèse, tenez-vous prête, vous montez avec nous». Assises à l'avant d'un énorme camion rempli de vivres, d'enfants et de religieuses, nous empruntons une route bordée de grands arbres dépassant les murailles de pierre. Le ciel est clair et le soleil éclatant. La brise fraîche respire le printemps. Nous stoppons devant un portail qui s'ouvre pour nous. À droite, à perte de vue, s'étend une prairie vert clair, coupée d'îlots d'ombre que dessinent de vieux arbres noueux. À gauche, des sentiers conduisent au zoo.

Des sœurs, déjà gardiennes des lieux, m'accueillent joyeusement et me tendent un petit sac en polythène contenant deux sandwiches, une tangerine, une balle de riz soufflé et un verre de carton. Je remercie avec émotion, et je contemple une fois de plus, un miracle d'ingéniosité et de travail: des barils remplis à craquer de ces lunchs soigneusement ficelés et prêts à être offerts à chacun des invités. Grâce au sens de l'ordre et de la discipline des sœurs indiennes, la distribution s'opère sans bousculade. Ici, point de carte à remettre, mais à l'épaule de chaque enfant est fixé, par une épingle de sûreté, un ruban blanc et bleu coupé dans des bordures usées de vieux saris. J'en souris d'admiration.

Ils sont huit cent cinquante enfants à être scolarisés par les Missionnaires de la Charité. Ils arrivent avec père et mère, frères et sœurs, la famille au complet, quoi! Car ici, au pays de l'Inde maternelle, on ne peut imaginer fêter les enfants sans fêter les parents et les grands-parents. Ils se regroupent avec leurs semblables de même ethnie, causant à l'aise avec leurs professeurs tous présents.

Au centre du terrain, autour d'un arbre centenaire qui étend ses rameaux frais et dispense son ombre bien-veillante, une image de paradis: les tables sont remplies de caisses de liqueur orange, de paniers de kebab*, de bananes et de tangerines qui seront distribuées à l'heure du repas par les sœurs et les enfants. Il m'arrive de pen-ser que les jours de travail doivent s'allonger de douze heures en vingt-quatre pour achever une préparation aus-si parfaite.

Ce jour est aussi jour de détente pour les centaines de novices et leurs éducatrices. Il m'est donné de causer avec Mère Frederic et Mère Cabrini, deux grandes dames australiennes, et avec cette petite mère bengalie, d'une beauté à faire pâlir les images de Nefertiti. Elle se penche avec modestie devant l'œil de mon appareil. Mère Teresa est en visite auprès de quelque mission lointaine, mais elle est toujours présente dans le cœur de ses fidèles compagnes.

Les Bengalis sont petits de taille. Une novice parmi le groupe m'a bien vite identifiée comme une étrangère, elle me parle de son pays et de sa vocation. Elle est grande et d'un tempérament fort différent: c'est Mary,

---

* Kebab: viande cuite sur brochette.

La novice, Sœur Marinella, avec Biswardith.

Jour de distribution.

l'Africaine, joviale et expressive. Seule de sa nationalité, elle est curieuse de connaître la mienne et ma raison d'être à la fête. Nous causons un bon moment, puis sœur Maria Rosita qui m'avait invitée, me prend avec elle. «Vous rencontrerez avec moi nos familles indiennes». Dans chacun des groupes, elle est connue et reçue avec cœur, comme savent recevoir les humbles. Elle s'intéresse aux enfants, les nomme par leur nom. Aux grands-mères qui se remettent souvent de maladies, elle donne une attention lucide et cordiale. À moi, elle fait remarquer les grandes différences de culture, de comportement et surtout les particularités raciales ou provinciales. J'apprends à distinguer les *Tamouls* venant du Sud, des *Bengalis* qui me sont familiers; les rudes *Rajastanais*, des pâles *Anglo-indiens*. Quelques-uns connaissent assez «le monde» pour savoir où est mon pays. La plupart ont peut-être entendu parler de l'Amérique, mais sans pouvoir toutefois situer le Canada, et encore bien moins le Québec.

Profitant d'un moment de relâche, je m'éloigne vers la gauche, et à la suite des gens du pays, j'ose me hasarder seule dans les méandres des sentiers tous semblables où les oiseaux des marécages s'ébattent. Poussant plus loin l'aventure, je m'amuse à contempler les animaux sauvages arrachés à leur jungle native et tournoyant dans leur cage étroite. Vous dire que j'eus du mal à retrouver mon chemin ne pourrait vous surprendre si vous aviez été avec moi. Un gentleman parlant un anglais convenable se charge avec empressement de me situer. Un peu inquiète, je trouve très long le sentier qui me ramène à la lumière de la grande prairie. La journée est finie et déjà s'empilent boîtes et paniers vides de leur contenu, se ramassent soigneusement papiers et sacs. Je suis très lasse de ce jour entier passé au soleil et au grand air, mais si ravie et heureuse d'avoir participé à cette action missionnaire où s'épanouit cette joie du don qui est le grand charisme de Mère Teresa et de sa communauté.

UNE IMAGE DE PAUVRETÉ

Vingt-et-un décembre, cinq heures du matin. C'est dimanche. Les sœurs de Sichu se rendent à la Maison mère pour l'oraison et la messe. Comme je fais en quelque sorte partie de leur vie, elles m'invitent. Nous pressons le pas, serrant nos lainages sur nos épaules froides. Nous avons à marcher, sur Low Circular Road, la distance de quelques pâtés de maisons. Il me semble entrer dans un mauvais rêve. Est-ce l'excès de fatigue de la veille qui me rend si vulnérable? J'ai peur! La témérité de mon aventure est évidente, je ne me sens pas la force d'envisager seule cette ville inconnue.

Je garderai en mémoire cette promenade matinale, sur la rue brumeuse et froide aux trottoirs démesurément larges peuplés de ces images de nécropole. Alignés près des murs, des corps ensevelis sous des draps gris de poussière dorment de leur sommeil de pauvres... J'ai peur!... Ces formes sont sépulcrales, dessinées comme des gisants, immobiles comme des pierres. On dirait des morts de la nuit pudiquement couverts pour la crémation. Ces hommes sont les coureurs du jour, ceux qui n'ont de toit pour dormir que la rue, de propriété que leur voiture à traction humaine qu'ils protègent du vol par leur présence endormie et leur nombre...

À cette heure matinale, froide et dure, la pauvreté de l'Inde colle à ma peau et referme les pores jouisseuses pour me pétrifier comme ces dormeurs, dans un silence morne. Vouloir crier? Aucune voix... Seuls les battements de mon cœur bondissent à mes tempes, scandant une prière de plomb: «Jésus en agonie jusqu'à la fin du monde, aie pitié de nous!»...

Mon esprit, cherchant une cohérence, divague. Les images se succèdent, se superposent. L'Occident suralimenté, surdiplômé se décompose, les yeux fermés, repu d'ignorante science... et l'Inde des pauvres s'immobilise dans un silence de mort! Au-dessus de cette tragédie humaine, croassent les corbeaux noirs des ambitions désordonnées, des licences honteuses, toujours présents, attendant leur pitance.

LA MESSE À LA MAISON MÈRE

Quatre cents novices blanches, agenouillées, immobiles, un seul cœur en Jésus, cœur blessé par la souffrance partagée, font monter vers Dieu le «Notre Père» de Malote, chanté en anglais. C'est celui que j'écoutais à l'âge de vingt ans, enregistré par le chœur noir de l'armée américaine, sous la direction de Léonard De Paur. C'est le même accent plaintif et profond, venant de la gorge suppliante et des entrailles: voix étouffée des Noirs d'Amérique...voix des novices unies aux pauvres de l'Inde qui ont vécu et senti l'oppression.

La présence de Mère Teresa incarne pour ainsi dire le bon Dieu en personne. Je prends place au pied droit de la porte, avec les bénévoles. Mère Teresa s'agenouille toujours au pied gauche, à côté de l'organiste, une Française qui a mis en musique tous les chants de la communauté. Moi je vous dis que la présence de Mère Teresa déplace le bon Dieu... de l'autel à ce tabernacle humain qu'est son cœur de mère. C'est toute une messe que de la regarder! Une bénévole avec qui j'ai travaillé au mouroir me disait: «Le bon Dieu me pardonnera bien si durant l'adoration du Très Saint Sacrement, mes yeux ne quittent pas Mère Teresa. Elle est un véritable ostensoir!»

Après la messe, je guette son bonjour et son sourire comme un pain quotidien d'amour. Qu'il pleuve, que s'assombrisse le ciel, j'ai mon soleil pour la journée. Mais aujourd'hui, c'est double chance: le jeune Anglais de l'aéroport est là et il me salue. Lui aussi fait son bénévolat et habite la communauté des petits frères.

À Sichu, le traditionnel déjeuner de pain aux bananes m'attend avec le thé indien et, attention délicate, un œuf est ajouté à ma portion: c'est que j'ai dû prendre un médicament hier et dormir vingt heures d'affilée, sans doute à cause d'une retombée de fatigue due au long voyage. Elle plane toujours, dans ces pays, l'inquiétude de la malaria et de toutes ces maladies inconnues et menaçantes pour les Nord-Américains aseptisés que nous sommes. Une sœur Indienne me dit avoir contracté la malaria. J'apprends de même que toutes les autres se protègent à l'aide de médicaments. Ils grossissent à vue d'œil ces minuscules moustiques noirs. Je les entends vibrer à mes oreilles. Le rideau de mon lit est-il bien ajusté?

Hier, la journée au soleil, la maladie et la surdose de quinine ont sans doute enfiévré mon imagination. Quelle nuit aux rêves mouvementés, aux images dantesques! Elles défilent sous mes yeux, ces hordes de pauvres, culs-de-jatte, estropiés en béquilles, visages édentés et graisseux, sortis en liberté d'un tableau de Bruegel. Ils se bousculent aux portes de ma nuit, délirants et perdus, malsains et drogués, traînant dans la boue leurs membres inutiles, regardant sans le voir ce soleil noir.

Il est treize heures. J'ai besoin d'oublier. Quoi de plus neuf que l'innocence des bébés et le sourire des petites sœurs. La rayonnante équipe de la pouponnière me donne la joie. Va, transforme-toi en photographe et fixe sur pellicule des images d'espoir.

Un appareil-photo pour des Indiens, c'est magique. Biswardith est déjà dans les bras de Marie Anandini et je saisis sur cliché ce moment de tendresse. Sœur Jean-

Vianney s'empresse de présenter son préféré, Sumit, ce gros bébé «maharadjah». Et voilà que toutes les dames bénévoles, drapant leur sari de fête, réclament une photo de groupe. Quelle distinction naturelle chez ces femmes du peuple bengali. Ces pauvres sont «de grandes dames» et un tout petit honneur réveille en elles ce sens de la dignité des humbles, profond comme leurs gestes quotidiens.

Un jour, cependant, j'ai osé capter, à leur insu, ces femmes à leur repas. Cette photo s'adresse à nous qui gaspillons le temps et la vie. Elle suscite notre honte devant l'extrême pauvreté de leur condition qui apparaît ici sans masque. Pourquoi elles et non pas nous à être humiliées et sans défense devant une vie de privations continuelles?...

LE VINGT-TROIS DÉCEMBRE:
AUNTIE ELLA

Auntie Ella, de son nom Ella Williams, est une religieuse méthodiste retraitée de l'enseignement. Elle a quitté son pays, l'Australie, il y a déjà trois ans, pour donner son temps et son avoir aux œuvres de Mère Teresa. Auntie Ella est la spécialiste des fêtes enfantines. Elle sait, avec un art consommé, à la fois naïf et charmant, exercer des chorales d'un jour et des théâtres d'un moment. Pour moi, elle est d'une délicatesse précieuse, m'introduisant chez ses nombreux amis les artistes et m'invitant à ses fêtes.

Auntie Ella voyage toujours en rickshaw*. Elle a même son chauffeur privé, un jeune Indien qui se tient à sa porte à heures fixes avec sa voiture qu'il sait tirer d'un pas alerte. Sans elle, je n'aurais jamais osé me faire voiturer par un humain. Mais j'ai compris que ce travail, apparemment servile, est honnête et qu'il demande force, courage et gentillesse. De fait, en Inde, il élève son conducteur au rang de travailleur autonome.

Pour une étrangère, comme moi, ce véhicule permet d'éviter la cohue des mendiants de toutes sortes, et ce qu'il en coûte revient à l'addition des aumônes inévitables distribuées au cours d'un même trajet fait à pied.

* Rickshaw: «Pousse-pousse».

Domptant une fois de plus ma peur, rassurée par les crans d'arrêt arrière qui préviennent son basculement, je monte donc dans cette voiture à deux roues. Les conducteurs de rickshaw sont d'excellents coureurs, habiles à se faufiler à travers les rues encombrées, jamais en ligne droite et jamais stoppés. Je suis vite à l'aise sur cette monture. Je regarde presque de haut hommes et choses. Avec Auntie Ella, je me rends à la banque indienne. Départ: dix heures, retour à quatorze heures trente; c'est un record de rapidité pour l'administration de ce pays: je peux donc facilement recevoir de l'argent du Québec par voie bancaire. Ma confiance ira cependant à l'American Express qui m'apparaît moins compliquée de procédure et plus «de chez nous», d'autant plus que cette institution assure la réception du courrier et son suivi dans d'autres villes, avec une plus grande sûreté que la poste centrale. Merci, Auntie Ella de ce service et de l'expérience que je ne saurais oublier.

À la pouponnière, c'est le branle-bas de Noël. Les petites sœurs désirent une crèche pour l'étage des nourrissons. Avec les sœurs Jean-Vianney, Marie Anandini et quelques autres, en une bande joyeuse et bruyante, nous envahissons le magasin d'objets religieux chrétiens. Suivant ma ligne de conduite «de pauvreté», mon choix est modeste mais de bon goût. Dix petits santons colorés, des mandalas décoratifs et des bâtons d'encens aux multiples parfums, exaltent l'imagination des sœurs et provoquent leurs rires libres et joyeux.

Dans la cour, en chemin vers Sichu, un parfum inédit embaume tout le couvent: les fritures de Noël. Ma chambre est transformée en réserve, je me remplis les yeux de ces cristaux de pâte légère: deux larges corbeilles de «mandalas dorés»! L'ambiance de rêve et de fête que

Le dîner du pauvre.

Low Circular Road, le trottoir des sans-abris.

Les novices et les bébés endimanchés.

peuvent créer ces pâtisseries est une image qui colle à l'Inde des parfums multiples; saris colorés, des banderoles de papier sans prix, des processions d'enfants portant clochettes et diadèmes, des chariots bariolés, d'éphémères statues de paille, habillées de satin blanc, évoquent des récits imaginaires et symboliques. À la nuit tombante, je n'ai pu résister au festin offert à portée de ma main. J'ai goûté aux «rêves», furtivement, à la dérobée. Le soleil du matin a purifié ma conscience en m'offrant un nouveau jour...

Ce jour est employé aux préparatifs de la fête. Partout sont installées des crèches aux toits de chaume, aux personnages importés d'Europe, encore vierges de couleur locale.

À la maison mère, dans la cour intérieure, coupée sur quatre étages aux larges déambulatoires clôturés, des immenses banderoles d'étoiles en papier journal flottent dans la brise légère. Elles montent du sol au toit, nouées en faisceau, créant une véritable féerie, une voie lactée. Ici, l'esprit s'arrête. Le Noël des pauvres et des cœurs libres a trouvé son expression la plus juste, la plus belle. Ces grisailles des nouvelles de la vie quotidienne, récupérées dans l'amour divin, c'est tout l'esprit de Mère Teresa qui chante ici son Noël: «Amen! Alleluia!»

SOIRÉE DE NOËL À SICHU,
CE VINGT-QUATRE DÉCEMBRE

Noël, fête des pauvres. Tout comme les Juifs de l'exode, au désert, les pauvres seront nourris de la manne tombée du ciel. Dans la cour de Sichu, abondent pour eux les viandes grasses de la terre promise, conquise pour un jour...

Ainsi, la nuit qui tombe voit se remplir la cour intérieure: des groupes de femmes hachent les légumes avec soin, décident de la juste mesure des condiments; des hommes sont courbés sous des sacs de victuailles, d'autres, accroupis près des sept chaudrons montés sur des pierres, tisonnent la flamme qui éclaire les visages et dessine dans l'ombre chacun et chacune, révélant l'humble beauté de leurs gestes de service.

Et brillent les feux de braise, et s'agitent les marmitons au-dessus des chaudrons immenses où cuisent les viandes du festin. Un fumet aux multiples parfums se dégage et remplit l'atmosphère d'une concrète chanson d'amour. Des pas précis s'exécutent, comme une danse de Noël intensément vécue, pour que renaisse, avec Jésus, l'espoir des démunis en ce jour unique. Jamais un Noël ne fut plus vrai, dans ma vie, ni plus émouvant.

Pour accompagner le tout, dans un coin, munis d'un tambour, d'un orgue portatif et de deux guitares, six jeunes exécutent un programme de musique et de chants de Noël. Simple et limpide comme une source, leur concert purifie le cœur. Je me demande «d'où viennent ces jeunes si beaux et si sereins», Auntie Ella vient me dire avec fierté: «Ils sont du Canada.» En effet, ces trois garçons de Vancouver, ces deux filles et ce jeune Ontarien, de l'Église Unie, forment La Mission: en tournée d'évangélisation aux Indes. Cette jeunesse de mon pays me fit grand honneur.

Dans cette atmosphère a lieu la fête des enfants, œuvre de Auntie Ella, la bonne fée des étoiles de cette veillée de chansons et de cadeaux. Elle a déployé tous ses talents. Au premier numéro, sept jeunes Indiennes, au son du tambour, dansent à la manière de leur pays. Viennent ensuite les mélodies traditionnelles, les chants de Noël exécutés par les jeunes travailleuses de la Crèche. Elles sont costumées en Marie et Joseph, tenant un vrai petit bébé qui joue son rôle d'Enfant Jésus, sans une larme. Puis défilent les bergers, la tête recouverte de serviettes à carreaux. Suivent les Mages, pompeusement vêtus d'aubes et de chasubles dérobées à la sacristie et couronnés de rutilants diadèmes sertis d'énormes rubis.

Les petits de la Crèche, soigneusement exercés, miment «Je vous souhaite un joyeux Noël», «Ô Nuit de Paix» et bien d'autres chants. Puis, le jeune Ontarien prend la relève de l'animation. Avec une habileté d'expert, il a bien en main le jeune groupe fasciné. La soirée se termine par une distribution de bonbons, gracieuseté de Auntie Ella.

Parmi le groupe de Français présents à la fête, se dégage une personne de mon âge, vêtue de jeans, une énorme natte de cheveux attachée au sommet de la tête. C'est Bernadette Chalvin. Retraitée de l'enseignement et formée à l'esprit franciscain, elle voyage autour du monde, sac au dos comme une écolière. Aux Indes pour un mois seulement, elle ne veut rien manquer et surtout pas la messe de minuit à la Maison mère. «Puis-je dormir ici en attendant l'heure de la messe?» me demande-t-elle. Une religieuse qui l'a entendue, me dit: «Amenez-la à votre chambre». Étendue sur mon lit, après cinq minutes de détente, elle ronfle avec béatitude... Moitié riante, moitié embarrassée par la situation, je me glisse furtivement à la chapelle où, rasant le mur, je m'allonge sur une natte. Jésus sera mon repos pour cette fin de veillée de Noël.

Comme un point de repère inespéré des jours de fête, Bernadette m'accueillera à l'Armée du Salut au premier de l'An. Plus tard, au Québec le Noël suivant, elle fera une halte chez moi avant de s'envoler vers l'Amérique latine.

MESSE DE MINUIT À LA MAISON MÈRE

Nous arrivons devant une assistance impressionnante. Trois cents novices de blanc vêtues et toutes menues, forment l'unité dans le silence de Dieu. Blotties au cœur de leur être, une centaine de religieuses professes se reconnaissent à la bordure rayée de bleu qui encadre avec souplesse leur visage et qui descend en cascade le long du sari drapé qui les enveloppe. S'ajoutent une centaine de familles indiennes amies et proches des religieuses. Des Français bénévoles au mouroir, des Britanniques et des Australiens bien adaptés, ainsi que des Danois et des Norvégiens, sont également du décor. Je suis seule du Canada. Je choisis mon habituelle place, au pied droit de la porte espérant que Mère Teresa s'agenouille à gauche, selon son habitude.

Elle est venue, «la belle dame», elle est passée dans les rangs pour «placer son monde». Ces jeunes Français, séduits par sa personnalité, au moindre signe de sa main, se rangent comme des soldats. Mère Teresa a un faible pour les Français. «Ce sont eux, dit-elle, qui s'adaptent le mieux.» Ils font tous les travaux, sans choix, avec cœur et dévouement. Ils ne sont jamais malades à cause de la nourriture et ne perdent pas de poids comme les Canadiens et les Américains. L'éducation des Nord-Américains, sans doute trop molle, les rend inaptes à la vie de privation de l'Inde. De même, la différence de climat est trop grande pour les

65

santés délicates, habituées au confort et à une grande protection médicale qui les rend plus vulnérables.

Elle a donné la main à chacun et m'a embrassée avec tendresse, comme «une intime de la maison». Jamais je n'ai rencontré autant de force, d'autorité et de sévérité tendre dans une même personne. Sa présence crée une grande joie dans tous les cœurs. Son sourire, celui qu'elle vous adresse personnellement, purifie comme un nouveau baptême. Mère Cabrini et Mère Frederic, ses assistantes, se sont avancées vers moi et nous avons échangé des souhaits profonds et vrais. L'Esprit de Dieu habitait tous les cœurs.

La fête à la pouponnière

Au matin, de retour à la pouponnière, la jolie surprise qui m'attendait se devinait dans les yeux taquins de sœur Marie Anandini. Elle tenait dans ses bras un joli «Pierrot» en fête: Biswardith tout habillé de rouge. Elle me le donne et tout le monde d'applaudir. La joie fuse: ce sont les séances de photographie des dames, des sœurs professes et des novices, et bien sûr, des enfants. Après cette explosion de joie, c'est l'entrée de Auntie Ella, véritable magicienne apparaissant comme dans une traînée de poudre lumineuse. La féerie des bracelets colorés, si chers aux Indiens, crée des petits princes à chaque berceau. C'est la journée de la beauté pour ces enfants endimanchés: culottes colorées, robes neuves, bonnets orange enrubannés de bleu illuminent la pouponnière. Les sacs de bonbons et les jouets magiques sont fixés à chaque couchette, au milieu des rires et des chansons.

Partout, c'est la fête. En bas, dans la cour, défilent les pauvres. Sous le soleil, les vieux saris reprennent, couleur de joie!

Le jour de Noël des pauvres

À partir de neuf heures, et jusqu'en fin d'après-midi, deux mille repas sont servis. Les viandes «de la nuit», parfumées et chaudes, accompagnées de riz et de légumes bien cuits, sont servies dans les gamelles usées qui brillent au soleil comme argenterie sous candélabres de fête.

Chacun, réjoui, s'en va en apportant la précieuse pitance couronnée d'un fruit frais, l'un à son abri, l'autre à sa tente précaire ou à son coin de rue aménagé en domicile permanent. Là, une autre multiplication des pains permettra à toute une famille, et peut-être à des voisins amis, de partager un vrai repas de Noël.

Ce jour-là, le vingt-cinq décembre, est jour de jeûne pour les sœurs. Encore aujourd'hui, comme aux premiers temps de la communauté, elles auront tout donné afin de partager la privation des pauvres et de remettre au Père céleste qui nourrit les oiseaux, l'espérance du lendemain.

LE VINGT-SIX DÉCEMBRE, LE NOËL DE MÈRE TERESA

Hier, c'était tout pour les pauvres; aujourd'hui, c'est jour de fête et de détente bien méritée pour toutes les communautés. C'est la rencontre en famille à la Maison mère. Mère Teresa reçoit ses filles de toutes les Maisons des Missionnaires de la Charité, avec largesse et grâce. La célébration liturgique terminée, je me retire, par discrétion. Mère Cabrini me voit m'esquiver. Elle m'arrête au passage d'une main et de l'autre, m'indique gentiment la salle du banquet. Celle-ci, immense, est parcourue de chemins de coton étalés sur le sol sur lesquels sont alignés les couverts, bien ordonnés, éblouissants de propreté et de pauvreté. Je m'engage dans ce mouvement de foule qui amène les sœurs à s'asseoir par terre, à l'indienne, les unes après les autres. J'écoute le bruit frais des voix qui m'entourent de toutes parts sans voir qui m'environne.

Quelle surprise de me trouver à gauche de Mère Teresa en personne! Je voudrais rebrousser chemin: impossible. Je dois donc m'incliner devant cette délicatesse inouïe de la Providence qui m'a guidée à cette place d'honneur. J'en suis émerveillée, confondue... Tout naturellement, la Mère m'accueille et m'offre elle-même les mets de la fête: je suis son invitée. J'observe la sollicitude avec laquelle elle présente brioches et gâteaux, bananes et thé au lait à celles de sa communauté que la pauvreté, la discrétion ou la timidité rendent plus frugales que les autres.

La Mère se penche vers moi, s'enquiert de cette communauté nouvelle, «Myriam Bethléem», dont je porte le crucifix et l'effigie de Marie. Elle répète le nom de Jeanne Bizier, la fondatrice de cette œuvre, et semble revivre sa propre histoire: quitter une communauté qui est devenue presqu'une famille, pour écouter l'Esprit, au désert d'un nouveau départ, qui lui dictera sa conduite au fur et à mesure dans des sentiers souvent imprévisibles.

À la question que je lui pose: «Qui doit vous inviter pour vous recevoir à Montréal?», elle répond avec sûreté: «Plus tard. Pas de mission au Canada pour maintenant, mais plusieurs novices canadiennes sont présentement à Rome.»

Cette réponse date de Noël mil neuf cent quatre-vingt. Nous savons que, répondant à l'invitation de l'évêque du Manitoba, Mère Teresa a ouvert une fondation de sa congrégation à Saint-Paul de cette province, et cela depuis mil neuf cent quatre-vingt deux, année où elle fut d'abord invitée par les Albertains, qui ont contribué à ses œuvres avec une largesse impressionnante. Au mois de juin de cette année quatre-vingt cinq, c'est le Nouveau-Brunswick qui l'accueille à son tour.

La fête continue et nous sommes tirées de cet entretien par un mouvement d'émerveillement qui soulève l'assemblée: deux grosses jarres en terre cuite, splendidement scellées par un bouchon en forme de croix, sont apportées à Mère Teresa, comme un trophée. Une fois ouvertes, monte le parfum délicat des boules de riz soufflé. Ces friandises sont offertes comme des fleurs de

Les novices à la Maison mère le 26 décembre.

Auntie Ella au départ du Boytown.

l'Inde, pays où le charme s'allie toujours à la grande simplicité.

La Mère se lève. Un silence où plane l'Esprit précède sa parole. Sur ses lèvres, le nom de Jésus, la louange pour les bienfaits reçus, pour Son amour infini... Cette prière pénètre à l'intime des cœurs et les dilate dans une ivresse de l'Esprit. Comme les fleurs, sous la rosée, reprennent éclat et couleur, les voix qui s'élèvent ne sont plus les mêmes. Le ciel a touché la terre et, dans une euphorie mélodieuse, les jeunes moniales semblent échapper à toute autorité humaine. Comme en un jour de Pentecôte nouvelle, ces femmes sont ivres... Ainsi se termine la fête. Je remercie Mère Teresa et, quittant les lieux, je salue Mère Cabrini: «Vos novices sont ailleurs, ma Mère, et moi, je dois quitter votre paradis!»

AU MARCHÉ AVEC SOEUR CLAUDIA

Les heures se suivent mais ne se ressemblent pas. À l'enchantement du déjeuner à la Maison mère, suit un avant-midi d'un réalisme assez cru. Sœur Claudia, à qui je demandai conseil pour les achats d'un dîner de fête, me dit: «poulets et pommes seront appréciés pour la circonstance; ces denrées sont trop chères ici, nous n'en achetons jamais.»

Sœur Claudia est une femme solide qui accomplit, en un temps record, une dure besogne. Elle est cuisinière. Arrivée au marché où elle connaît monde et bêtes, elle possède l'art difficile de tâter une volaille vivante et de marchander pour un meilleur prix. Le choix est vite fait. Les bouchers sont armés pour la saignée sur place et la préparation complète des poulets. Le même savoir-faire sert à l'achat des pommes les plus saines, choisies une à une. Bien avisé qui lui passerait un fruit trop vert ou trop mûr! Nous repartons en chargeant la camionnette, une vieille ambulance qui emporte notre butin: six poulets pour cent quatre roupies, huit kilos de pommes à cinq roupies le kilo, ce qui fait un total de cent quarante-quatre roupies. À huit roupies au dollar américain, dix-huit font le compte, et vingt pour le canadien. Voilà, aux Indes, une grosse part d'un repas de fête qui nourrit trente personnes. Qui dit mieux?

Sœur Claudia, femme entendue, accepte de me dire combien il en coûte par jour pour se nourrir dans la communauté. Le montant est élevé, soit quatre cent cinquante roupies par jour (l'équivalent de deux dollars pour chacune).

Selon les renseignements que je tiens d'un instituteur expérimenté, un touriste canadien pourrait manger convenablement pour un dollar par jour, aux Indes. Mère Teresa exige que les sœurs, à qui elle demande un très grand effort de travail, aient des fruits au menu quotidien. Les fruits sont une denrée très chère, mais la Mère considère qu'il y va de la santé des sœurs.

Le souper au poulet et Kittie

L'arôme des poulets parfume tout Sichu. Je reçois une portion généreuse de cette délicieuse viande; ce qui finira sûrement de guérir un mauvais rhume. Après le repas, un coup discret est frappé à ma porte. Les religieuses viennent me remercier et, comme à l'accoutumée, elles feront un bout de causette.

L'admiration, la reconnaissance et la compassion défilent dans mon cœur, à tour de rôle. La nuit vient et je m'endors, l'esprit attaché à tous les événements des derniers jours. Un bruit nouveau me sort de mon sommeil: le cric croc d'un animal rongeant un os. J'allume la lumière et, relevant le voile entourant mon lit, je me penche, un peu craintive. Kittie, la chatte, pointe vers moi des yeux rouges. Grondante et possessive, elle dévore le plus gros des os de poulet qu'elle a pu saisir. Pas plus gâtée que les autres animaux domestiques de ce pays pauvre, elle a trouvé, pour déguster son butin, un lieu sûr, loin des rivaux: sous mon lit! Le sait-elle que son innocent contentement d'animal est le merci le plus simple, et qu'il remplit mon cœur de joie.

UNE MORTALITÉ À L'HÔPITAL DE SICHU

La Maison mère, située au 54 Low Circular Road, est un édifice rectangulaire en béton, sans charme particulier, mais spacieux et commode. J'ai déjà décrit la pouponnière, sise au numéro 58 de la même rue, comme un bâtiment de classe, don du parti du Congrès de Indira Gandhi à la Mère Teresa. La maison voisine, Nirmala Sichu Bhavan, a été achetée d'Arméniens qui l'avaient eux-mêmes construite.

À Sichu, habite une communauté de trente-deux sœurs. L'aile droite de la maison, convertie en hôpital, abrite des enfants malades de toutes provenances et de tous les âges. Ils y reçoivent les soins médicaux du pays, sous la conduite des religieuses. C'est dans cet hôpital qu'un événement triste est vécu aujourd'hui.

Jour de deuil à Sichu. Un grand garçon de dix-huit ans, atteint de la polio, vient de rendre l'âme. Il est exposé sur son lit de planches, recouvert d'un drap blanc. Un cierge brûle, illuminant son visage qui garde encore l'empreinte de la vie: un visage fort aux traits précis, formant contraste avec son corps chétif. Une femme, à genoux, pleure... Elle est venue aux derniers jours lui servir ses repas et l'accompagner, même la nuit, pour le viatique avant le grand voyage. C'était un enfant sans famille, à qui Marie avait délégué une mère au sourire d'ange et aux mains consolantes, pour franchir ce passage à une autre vie, à une nouvelle naissance.

Cet après-midi, il est porté en terre chrétienne. La peine étouffe tous les cœurs. Nous sentons, sans le dire, cette brisure anormale: un jeune plant, aux bourgeons à peine entrouverts, fauché avant de porter son fruit mûr.

Dans la cour, nous formons une haie de silence pour accueillir le cercueil blanc. Dans l'ambulance marquée d'une croix, autour de l'humble bière drapée de coton, s'alignent sur les bancs en longueur, religieuses et mère égrenant le chapelet. Moi, l'étrangère, je serai du cortège, avec, de l'Australie, Auntie Ella, et de l'Inde, une grande dame.

Cheminant bien loin hors des murs de la ville, nous voilà engagées dans cette longue allée, au centre d'un terrain fermé où les chrétiens retournent à la terre mère. Point de crémation pour ceux qui attendent le grand Jour de la résurrection des corps.

L'amour dicte ici un geste pieux: on ouvre le cercueil et cette «maman» s'épanche. Celle qui fut éveillée à la vie par la joie d'un jour, sanglote devant l'enfant mort-né dans son cœur maternel.

Le corps est descendu à bras d'hommes. Il glisse doucement sur les câbles, dans le silence de la fosse. Les cordes sont retirées, et chacun, de sa main, jette une poignée de terre sur la tombe: dernier devoir rendu au défunt qui dort d'un sommeil préservé des souillures. Puis, on recouvre soigneusement la tombe et sur ce tertre, sont déposées les couronnes de fleurs. De longues bougies nous sont données et allumées. Chacun dépose cette concrète prière parmi les ornements floraux; la mienne, délicatement placée aux pieds du mort.

Nous nous éloignons, laissant dans le parfum des fleurs, celui qui s'éveille déjà aux lumières de l'espérance éternelle.

De retour au couvent, je monte, sans mot dire, les escaliers de la pouponnière. N'ai-je pas ici mon enfant d'un jour, ce Biswardith qui a repris vie dans le cœur de Dieu, qui a bien voulu animer mon propre cœur. Le considérant, endormi dans son berceau blanc, un long moment de silence réunit en moi la solitude et l'amour, la mort et la vie...

LE MATIN DU PREMIER DE L'AN,
AU BOYTOWN*

Au couvent de Sichu où j'ai ma chambre, c'est Mère Agnès qui est supérieure. Nous savons qu'elle est une des premières compagnes de Mère Teresa, une de ses anciennes élèves.

Je garderai longtemps en mémoire ce voyage qui m'emporta loin de la ville, ce matin du jour de l'An. Mère Agnès, après un bonjour matinal toujours réservé et correct, a ajouté gentiment: «C'est aujourd'hui que vous nous quittez, Thérèse. Il y a maintenant place pour vous à l'Armée du Salut. Notre Mère m'avait dit de vous garder ici quinze jours». Comme j'aurais apprécié une comptabilité moins rigoureuse de la part de Mère Agnès! Et c'est à nouveau cet ange gardien, Auntie Ella, qui, de sa délicate intuition, voyant mon désarroi et ce vague à l'âme qui m'envahit en ce jour de fêtes familiales, me dit: «Vous venez avec nous à Boytown. Nous amenons les grandes filles de Sichu fêter avec les garçons, dans leur village. C'est la campagne; ce sera joli.» Une fois de plus, la magie du voyage dissipe toutes peines. La route sera toujours pour moi génératrice d'énergies nouvelles. Ce trajet, je le boirai comme une coupe de bonheur. La campagne de

---

* Boytown: Village des garçons.

l'Inde, paisible et ordonnée, recréera en mon cœur l'unité brisée par l'annonce de ce départ trop brusque.

Au moment de partir, dans la cour de sable, des rires joyeux éclatent. Les grandes filles à marier sont parées de leurs plus beaux atours. Elles entourent, formant couronne, Sœur Denisia, leur vraie mère. Les saris pailletés brillent au soleil. Les cheveux noirs, que divise la traditionnelle raie bien droite, ondulent en cascades soyeuses et libres. Quelques-unes ont tressé leur parure naturelle en une longue natte terminée par un ruban bouclé, d'autres l'ont nouée en un beignet gracieux. Ces épaisses chevelures noires des Indiennes sont toujours soignées et forment, même chez les plus pauvres, un ornement naturel de grande allure. C'est de mère en fille, de grande sœur à sœur cadette que les femmes ont appris à cultiver l'éclat de cette authentique beauté.

Nous voici à Boytown, dans une oasis de palmiers d'où émergent des bâtiments rouges à fenêtres à carreaux. Une large allée de sable bordée de bosquets fleuris contourne un lac artificiel. À perte de vue, une prairie verdoyante et accidentée élargit l'horizon. Le camion stoppe. Nous descendons dans cette «ville miniature», une autre création de Mère Teresa.

Boytown, c'est la résidence familiale de deux cents garçons orphelins, issus des différentes crèches des villes de l'Inde. Des garçons de sept à vingt-deux ans qui n'ont pas eu la chance d'un foyer d'adoption. Un prêtre dynamique, d'une quarantaine d'années, est l'heureux père de cette nombreuse famille. C'est lui qui tient la barre.

Les garçons, selon leur âge et leurs aptitudes, sont dirigés vers les écoles publiques qui leur conviennent, et cela jusqu'à vingt-deux ans, âge où, nantis d'études ou d'un métier, ils doivent assumer leur vie personnelle.

Comme sœur Denisia est la mère des jeunes filles non adoptées et non mariées, le père André est le père de ces jeunes garçons.

La journée m'a permis de rencontrer quelques-uns de ces deux cents étudiants et de les voir évoluer, bien dans leur peau. J'ai aussi constaté l'influence de la culture anglaise et nord-américaine chez ces jeunes, séduits par la musique rock. Je m'étais, la veille, délectée d'un spectacle raffiné de danses indiennes, quelle ne fut pas ma surprise de reconnaître les pas et les mouvements stéréotypés de nos bruyantes discothèques enfumées et enfiévrées, lorsque le père, satisfait de son œuvre, ouvrit pour nous leur salle de détente! Au cours de mes conversations avec les jeunes, je voulus apprécier leur culture nationale. Une moue indifférente et dédaigneuse accueillit mes propos. À moi, qui venais de cette Amérique fascinante de techniques et de progrès, il importait de parler de New York et de connaître avant tout son produit. En Inde, comme chez nous au Québec, la culture vraie, celle qui traduit notre identité profonde, est sacrifiée à la mode internationale. À Boytown, mon cœur a pleuré.

Correspondant à mon charisme personnel, un jeune de dix-huit ans m'a choisie pour «sa mère d'un jour», espérant bien que je l'amène dans mon pays de rêve, le Canada. Ce jeune artiste en herbe m'a permis de visiter tous les lieux de leur vie commune: les ateliers, la salle à manger et les dortoirs où dix jeunes partagent le même plancher. Chacun a son coffre pour ranger ses effets personnels. Le matin, il y dépose son oreiller, sa natte roulée et sa couverture, de sorte que la propreté et l'ordre règnent dans ces lieux comme dans toutes les autres pièces de l'établissement.

L'après-midi s'est passé joyeusement. Les jeunes ont accompli des prouesses: courses de toutes sortes, tir au câble, etc. Auntie Ella avait des récompenses pour tous les gagnants dont les noms étaient proclamés avec grand honneur. Nous avons quitté les lieux vers trois heures, au milieu des cris de joie et des applaudissements de la jeunesse satisfaite de la journée. Moi, j'avais peine à quitter mon jeune ami d'un jour qui me suppliait de l'amener avec moi, de l'adopter. Je ne pouvais lui promettre de réaliser un jour ses rêves d'un Canada plein de mirages, en échange d'un pays pauvre d'argent mais si riche de valeurs humaines.

Au cimetière chrétien.

Tombe fleurie.

Le mouroir.

LE GRAND DÉPART
DE LA COMMUNAUTÉ

Le couvent de Sichu m'a accueillie durant quinze jours. Aujourd'hui, la vie seule en ville commence pour moi. Cette phrase de mère Agnès, prononcée à la croisée d'un matin de premier de l'An, sonne à mon oreille comme un glas: «C'est aujourd'hui que vous irez à l'Armée du Salut, il y a maintenant place en ville pour vous loger...» Quelle comptable que cette mère Agnès! Comment pourrais-je me détacher de cette chaleur douce et pure qui m'a enveloppée dès mon arrivée dans cette ville ahurissante où il m'a semblé que personne n'allait comprendre mon langage et où, moi, je ne pourrais jamais comprendre personne. L'expérience des taxis qui ne connaissaient pas plus loin que trois rues devant eux m'effrayait autant que ces autobus bondés d'où les grappes humaines pendaient durant de longs trajets, emportés vers nulle part.

L'Armée du Salut

Hôtel favori des bénévoles de Mère Teresa, l'Armée du Salut est un accueil chrétien protestant. Les dortoirs communs remplis de jeunes et de moins jeunes de toute provenance ainsi que la salle à manger fort attrayante où le déjeuner est servi font de ce gîte un lieu de rencontres internationales. C'est là que je passai la nuit du premier de l'An...

Le soir tombait lorsque nous sommes revenues de Boytown. Je n'osais m'aventurer seule, en taxi, vers une destination que je parvenais mal à identifier. Cinq novices sont venues, amusées sans doute par mon manque d'audace pour affronter l'inconnu... moi, qui étais partie seule et de si loin. Je suis restée six jours à l'Armée du Salut. Un Québécois, très serviable et très connaissant en matière d'hôtellerie, me permettra de découvrir, plus tard, au tournant d'une ruelle modeste, le Modern Lodge, où je demeurerai jusqu'à la fin de mon expérience chez les pauvres.

La semaine passée à l'Armée du Salut, c'est la fête! Tant de Français que j'en ai même perdu mon anglais! Il y eut d'abord Bernadette Chalvin, rencontrée ce fameux soir de Noël, à Sichu. Bernadette avait des jambes de vingt ans et un cerveau organisé comme un véritable ordinateur. Elle m'a essoufflée à travers Calcutta qu'elle s'acharnait à déchiffrer, déployant ses talents de cartographe. Une Française supérieure, sans aucun doute, qui, en retour d'une bonne oreille, sait démontrer un dévouement sans limite. Elle avait l'art de s'entourer de jeunes qui l'admiraient et qu'elle savait garder à ses trousses par une sortie organisée, ou bien par un petit verre de «fort» servi au bon moment.

OBEROI HÔTEL: LA VIE DE TOURISTE

Oberoi Hôtel est situé sur Esplanade, face au «poumon vert» de Calcutta. C'est un fastueux hôtel dont la renommée internationale attire la clientèle la plus éclatante du monde entier.

Devant des portières carrées et blanches aux arabesques d'or, se tiennent les chasseurs en livrée d'apparat. À l'intérieur, arcades finement ciselées et colonnades en marbre forment un long corridor. Dans les murs, des montres présentent à l'œil des clients, bijoux d'or fin et toilettes princières. Un silence lourd entoure toutes choses et les drape d'une majesté réservée. On dirait un palais de l'élégance et de la richesse, promis aux grands de ce monde.

Nous sommes accueillis dans ce décor d'honneur et conduits dans un salon privé et luxueux pour assister au récital de danses indiennes annoncé dans «Nouvelles d'aujourd'hui» à Calcutta. Dans cette salle très intime, il semble que le spectacle nous est dédié. Les artistes nous saluent personnellement, comme il se doit devant «de grands personnages». Au programme, des danses exécutées avec art et finesse racontent des histoires de chasse, miment des scènes de moisson et recréent des idylles romantiques. Ruse, simplicité, candeur nous émeuvent, nous égayent et nous ravissent tour à tour, nous emportant au rythme des danseurs, dans ce tourbillon de gestes précis et déliés. Les vêtements aux couleurs vives, les bijoux dorés, les clochettes aux chevilles, les maquillages sophistiqués, la souple ondulation des corps, des bras et des doigts, captent l'œil et l'oreille dans une magie de l'art qui, pour le temps qu'elle dure, éveille le personnage jouisseur enfoui dans quelque repli de notre être.

Nous étions très joyeux, déjà épris des plaisirs offerts par une civilisation raffinée, quand, au sortir de l'hôtel, une horde sordide de mendiants déguenillés nous ramène sur terre. Ils tendent une main suppliante, présentant leurs membres perclus, leur figure défaite, leurs bébés à demi nus dans l'espoir d'un peu de compassion, de quelques roupies pour se procurer l'unique repas de ce même jour. Inoubliable soirée de danses, inoubliable choc qui est une grâce pour qui sait ouvrir son cœur et sa bourse aux malheureux, dans ce pays de la démesure.

Ma semaine à l'Armée du Salut fut tellement riche de rencontres qu'il faudrait écrire un long chapitre pour vous les présenter toutes et rendre justice à chacune.

Je nomme Jean-Yves en premier lieu. Il était au bout de sa longue course de plus d'un an à travers l'Inde où il cherchait sa voie. Blessé par de nombreux échecs, il retrouve l'espérance dans l'accueil joyeux d'un groupe de moines bouddhistes. Et puis voilà Mary, cette sympathique Américaine que je retrouverai plus tard au Shri Lanka et qui vient tout juste de m'écrire du Japon. Mary est une amoureuse qui est venu chercher le bonheur dans l'aventure. Elle a le cœur grand comme le monde qu'elle parcourt sans arrêt. Il y eut aussi Dominique et Victoria, deux jeunes filles de France, saines et libres. Aujourd'hui touristes aux Indes, elles seront bientôt au Québec où elles me rendront visite.

Ursule est une perle de grand prix. Le Seigneur l'a retenue pour orner son coffret à bijoux précieux: un monastère de la vieille Angleterre. De sa main sûre et délicate, elle saura guider Didier, ce frêle Juif de France qui osera ouvrir le Nouveau Testament de la Bible chrétienne. Il y découvrira et accueillera Jésus-Christ refusé par sa nation. Avec quel courage et quel doigté, il saura annoncer à sa mère, Juive orthodoxe, cette bouleversante nouvelle!

J'ai aussi rencontré Christian, un étudiant français en Histoire des religions qui préparait une maîtrise sur l'hindouisme. Que d'heures nous avons passées ensemble à scruter les profondeurs de cette religion passionnante. Mais je ne saurais oublier le délicieux Olivier, sans Dieu et sans Foi, en amour avec la Mère Teresa. «Cette femme, je la suivrais partout, avec ses gros pieds nus, sa rudesse native, ses drôles d'orteils croisés!» disait-il, plein de sincérité et de joie, et sur un ton d'humour qui savait emporter nos rires et conquérir nos cœurs.

Tous ces jeunes de France ont vingt ans; ils sont venus ici, en pèlerinage, en quête de Dieu. Nous faisons ensemble un bout de chemin. Il y a vingt ans déjà, la France m'appelait à Aix-en-Provence, au Carmel de Thérèse d'Avila pour suivre son «chemin de la perfection». Aujourd'hui, sur la route des Indes, moi du Québec, eux de France nous cherchons ensemble les voies de Dieu à la suite d'une autre Thérèse, celle de Calcutta qui trace, au milieu des pauvres, un chemin neuf de la perfection.

LE NEUF JANVIER QUATRE-VINGT-UN:
LE MOUROIR

Après une semaine de fête, c'est le retour au travail. Le mouroir semble l'endroit indiqué pour aborder une étape nouvelle dans cette poursuite de la perfection où nous entraîne Mère Teresa.

D'abord, je me rends à la Maison mère pour la messe où je rencontre Ursule et Mary qui travaillent déjà au mouroir. Nous nous donnons rendez-vous sur Esplanade, afin de monter ensemble dans le «bon autobus».

Esplanade, centre des communications ferroviaires et routières, est un point de départ rayonnant dans toutes les directions. Il s'agit pour nous de monter dans un autobus se dirigeant vers Kaligath et de descendre non loin de ce vieux temple dédié à la déesse Kali, maintenant devenu «le mouroir» de Mère Teresa.

Kaligath est une municipalité située à une bonne demi-heure d'autobus d'Esplanade. Il faut partir tôt le matin pour s'y rendre à l'aise et trouver une place libre dans ces autobus surchargés aux heures de pointe. Cependant, il faut rendre justice aux manières polies des hommes de ce pays qui ont gardé l'habitude de céder aux dames les meilleurs sièges... à la condition que vous soyez parvenue à monter plus haut que le marchepied! Sinon, vous faites partie, avec les travailleurs, de ces grappes humaines accrochées à la solide rampe en métal qui assure une sécurité non discutée dans ce pays.

Le mouroir est situé à une dizaine de minutes de marche de l'arrêt d'autobus, sur une large rue encombrée de marchands, de mendiants accroupis près de leur gamelle déposée devant eux en vue de recevoir les aumônes en espèces sonnantes. L'atmosphère y est lourde et hostile. Ici se regroupent des fervents de l'hindouisme et, à proximité, se trouve le nouveau temple dédié à Kali, déesse à la fois bénéfique et dévorante, portant à son cou un collier de crânes.

J'ai assisté à l'immolation des animaux offerts en sacrifice. Sur le parvis du temple, poulets et chevreaux sont décapités et brûlés. Le sang coule et on en asperge la déesse afin d'apaiser son courroux. Autour du temple, les fleuristes tressent des couronnes et des grappes parfumées que les dévots achètent et lancent avec ferveur, à la tête, aux pieds et aux bras de la grande déesse, au milieu de la fumée d'encens et des prières qui montent de toutes parts.

Sur la porte du mouroir, une inscription identifie le lieu: «personnes indigentes»*. J'ai à peine franchi le vestibule que sœur Luke, la responsable, voyant le crucifix et la médaille de Marie que je porte, m'interpelle: «Vous qui êtes religieuse, que savez-vous faire?» «Rien», que je lui réponds. «Fort bien!», réplique-t-elle, «Car ici, l'amour est plus important que la connaissance.» Je regarde tout autour de moi, elle a déjà disparu du côté des hommes. Ursule et Mary sont à leur travail. Je reste seule, comme une intruse, dans ce monde de la souffrance humaine. Les sœurs s'affairent, sans même m'apercevoir, lasses, se

---

* «Destitute persons».

hâtant d'accomplir une tâche ingrate, sans une parole, sans un sourire. Moi qui croyais pénétrer un univers situé hors du temps, je vois s'égrener des heures péniblement comptabilisées et consacrées à des services précis.

Je comprends que j'ai à m'apprivoiser à ce lieu nouveau, à y poser le bout du pied, à apprendre à être joie, là où abondent les pleurs.

Lentement, cette vision de la misère se personnalise. Des femmes m'appellent déjà de leur cri, me découvrent leurs plaies ouvertes, se racontent dans leur langue, s'accrochent à moi de désespoir, me suppliant de les sortir de ce lieu et de les amener dans une maison bien à elles. Ici, l'amour est plus important que le savoir, m'a bien dit sœur Luke, aussi me faut-il apprendre à aimer...

J'assiste à l'arrivée d'une malade en ambulance. Sœur Luke m'explique: «Les moribonds sont rescapés de leur malheureux sort par quelques passants apitoyés qui appellent pour eux les services ambulanciers, lesquels les amènent à notre adresse. C'est Dieu qui inspire cette compassion et y envoie ces miséreux. C'est Lui aussi qui donne aux bénévoles cette immense miséricorde qui fait la richesse des pauvres...»

Le rituel de l'arrivée est pour tous le même. D'abord, c'est la tonsure. Les parasites sont ainsi radicalement délogés ou évités. Ensuite, après un bon savonnage, on procède à la douche indienne dans un espace en béton de forme carrée muni d'un robinet et d'un dallot d'égouttement tout autour. Le corps est placé sous le contact direct de l'eau courante et par la suite, un seau d'eau est versé par devant, puis par derrière, de sorte que l'eau coule vigoureusement du sommet de la tête à la pointe des pieds. Ce type de douche peut vous sembler brutal, mais je vous assure, par expérience, qu'il n'a rien à envier à nos délicats pulvérisateurs. Par ce procédé, la propreté est assurée et un regain d'énergie est un effet immédiatement ressenti.

Des chemises blanches ou bleues, de type «chemises d'hôpital», sont ensuite enfilées et nouées par des cordons au milieu du dos. Le nouvel arrivant, ainsi vêtu, est conduit à un lit numéroté, un lit en fer, bien entendu, mais recouvert d'un bon matelas en fibre de coco, confectionné par le personnel d'une autre maison. Un oreiller lui est donné, un drap et une couverture de laine souvent très usée et même trouée. Ici au mouroir, c'est la grande pauvreté vestimentaire. Les indigents sont ainsi moins dépaysés, et le retour à la rue facilité pour ceux qui guérissent. Cependant, une nourriture abondante et soigneusement préparée leur est servie.

Je vous ai parlé de ma première impression chez les femmes. Elles occupent l'aile droite du temple. La cuisine, le lavoir et le bureau de sœur Luke occupent le centre. Les hommes, eux, sont reçus dans l'aile gauche, de l'autre côté de ce long escalier plein de lumière que je monterai un jour, découvrant des salles immenses et un petit logement qui sert aux gardiens de nuit.

Le travail du côté des hommes est fort impressionnant. Tant de plaintes chez les femmes, une douleur muette chez les hommes. Ils sont étendus et couverts de leur drap gris, une cinquantaine d'hommes, tête rasée, taciturnes comme le sont toujours «les mâles» à qui une misérable vie a fait courber l'échine. Ici, point de mots, mais de temps à autre, un râle, une plainte, un cri... On dirait un dortoir de moines d'où monte une prière silencieuse. Ceux qui y dorment habitent un autre monde.

En compagnie d'Ursule et de Mary, un nouveau matin nous amène au mouroir. Nous lançons aux petites sœurs nos bonjours joyeux et partageons avec elles les tâches usuelles: changer les lits, laver et balayer les planchers. Plus tard, nous aiderons à la toilette des malades, au service des repas du midi. Les plus démunis nous seront confiés, comme des petits oiseaux «nourris à la becquée...»

Le spectacle du dîner des pauvres est pénible à voir. Les Indiens mangent avec leurs mains. Ils forment des boulettes de riz qu'ils lancent avec empressement dans leur gosier. Il semble que ces personnes, privées de tout, dévorent la nourriture, le seul plaisir qu'il leur reste. Presque réduits à la limite de la vie et de la mort, encore des vivants, mais si peu des «hommes», qui dira la profondeur d'humiliation que peuvent vivre tous ces pauvres qui «ne sont plus rien pour personne»!

Je me suis habituée à arriver tôt le matin. J'ai vu passer les morts de la nuit transportés dans de grands draps blancs. Ils sont remis, selon leur religion, à la crémation ou bien au fossoyeur qui les enterrera au cimetière chrétien. Ils sont morts dignement, non dans la rue, ils ont été préservés des bêtes errantes, mais ils sont morts seuls, sans famille, sans amis. Les gardiens de nuit leur ont fermé les yeux.

L'avant-midi terminé, les dîners servis, c'est l'heure de la sieste pour tous. Nous quittons l'établissement. Une autre équipe prendra la relève à trois heures. J'ai fait partie de cette dernière équipe durant toute une semaine.

Une attention est d'abord portée aux grands malades. Une médecine élémentaire leur est administrée. Ceux qui ne peuvent se lever par eux-mêmes sont assistés dans leurs déplacements. La propreté de chacun est vérifiée. Il m'est souvent arrivé d'appliquer à la routine du mouroir, cette théorie de l'hindouisme selon laquelle la semaine se compose de jours fastes et de jours néfastes. En effet, pour ces grands malades, il y a des jours lumineux de bonne humeur et remarquables de propreté. Il y a aussi des jours sombres de colère et de cris, des jours puants d'excréments et de vomissures. Ces jours-là, il vous est donné de vivre l'antithèse des voluptés fines, des parfums délicats, des phrases flatteuses et des sourires ravissants. Mais ce sont des jours de grâces où la prière ravive l'Esprit divin qui permet de s'enfermer dans ce lieu difficile et parfois répugnant des déshérités de ce monde. C'est une plongée en fonds marins qui révèle des beautés subtiles, inconnues aux navigateurs de surface. Et nous ne sommes que des bénévoles d'occasion invitées à partager avec les Missionnaires de la Charité œuvrant à plein temps, ces moments d'amour pur dont Jésus est la source.

Au mouroir des malades, bien vite notre attention sera captée par les petites sœurs. Leur épuisement causé par l'accomplissement d'un labeur aussi pénible émeut notre compassion. L'amour, nous l'avions allumé dans nos cœurs à la lecture de Mère Teresa; l'amour, il nous fallait le faire briller là, dans cet univers de souffrance qui se devait de toucher le ciel pour éviter l'enfer.

Il en a fallu du doigté et de l'humilité pour apprendre à le donner et à le recevoir mais, la prière aidant, nous avons fait bien, et si bien, qu'en fin de séjour nous revenions du mouroir à la Maison mère en camionnette avec les religieuses, causant ensemble comme de vraies petites sœurs. Nous nous réunissions à la communauté pour l'heure d'adoration: l'amour avait précédé le savoir!

Arrive le «savoir» dans la personne d'un très jeune médecin français dont la finesse et le dévouement conquièrent l'estime et la confiance de tous. Il a un savoir-faire tel que les grands livres s'ouvrent: il complète le

Étienne, le médecin français.

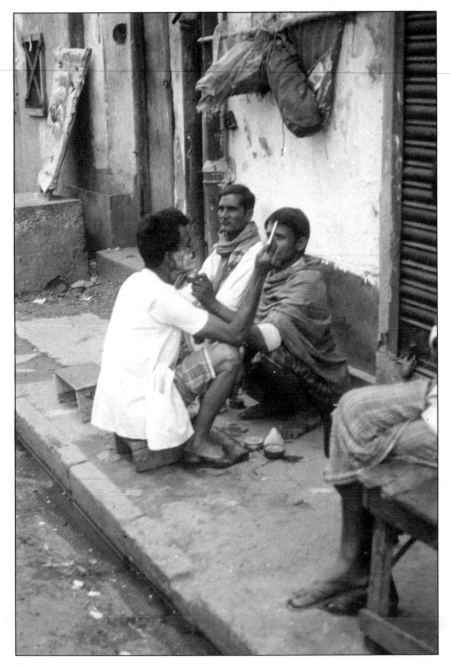

Échoppe de barbier.

système de fiches du mouroir et, plus encore, révise les prescriptions médicales pour chacun des malades.

Un incident heureux mérite d'être relaté. Un soir, au «tea shop» du coin de la rue, deux jeunes hommes m'abordent. Ils sont médecins internes et journalistes pour *L'Hindustan*. Ils veulent une entrevue. Je leur propose une rencontre avec l'équipe française des bénévoles au mouroir. Ils tirent un article pour leur journal, invitent le jeune médecin à visiter leur hôpital et bien plus, deviennent bénévoles eux-mêmes. Mère Teresa qui reçut un prix pour l'entente entre les différents groupes religieux pouvait se réjouir: ces deux médecins étaient de religion hindouiste.

Je pourrais parler longuement de ces rencontres qui vous remplissent le cœur de toute leur saveur humaine lorsqu'un pays si lointain vous rend totalement présent à vous-même et aux autres, présent à chaque minute, à l'image et à l'événement.

Jayoti est professeure, toujours accompagnée de ses deux jumelles âgées de dix ans, Ajanta et Ellora. Jayoti est une amie de Maria Rosita. Elle a de l'Inde la finesse et la simplicité, la modestie et la grâce; de l'Occident, la curiosité et la culture. J'ai partagé avec cette dame une amitié vraie. C'est à la pouponnière que je l'ai rencontrée les premières fois, émue comme elle par l'émerveillement des fillettes devant les petits bébés. Elle m'a un jour invitée chez elle.

Deux portières imposantes s'ouvrent sur une propriété clôturée. À la porte d'un bâtiment de style, vous attend un chasseur en livrée. Je me présente et cet homme m'accompagne. Il conduit l'ascenseur au quatrième étage, sonne lui-même et m'annonce. À mon arrivée, un homme et un jeune garçon se lèvent poliment. Jayoti me présente.

Apparaissent les jumelles, visiblement réjouies de ma présence. Le thé est servi au cours d'une conversation fort animée. L'époux de Jayoti est importateur. Pour son travail, il voyage. De fait, il est fort renseigné sur la politique étrangère. Le grand garçon, étudiant au secondaire, est un passionné de géographie. Il me questionne sur nos cours d'eau. Le fleuve Saint-Laurent l'impressionne. La flore et la faune de mon pays lui sont familières, cariboux et orignaux de nos grandes forêts l'émerveillent. Mais, l'érable à sucre, duquel on retire tellement de produits succulents, retient spécialement son attention. L'atmosphère de ce foyer est remplie de respect. La conversation y est familiale, les enfants prenant leur place avec civilité et soumission. Il me semble retourner à mon enfance, dans la famille d'un oncle où la culture et la musique créaient ce climat indéfinissable où il faisait bon vivre, où la voix pondérée, comme au diapason, ne s'élevait que pour exprimer les bons sentiments et les choses de l'esprit...

Cette rencontre des plus civilisée m'ouvre un horizon appréciable sur la classe moyenne bien éduquée de l'Inde. J'ai noté chez le jeune garçon cet intérêt pour nos capitales et nos populations. Né dans un pays immense mais surpeuplé, les espaces libres de notre pays l'impressionnent. J'ai compris aussi que l'Inde avait un système d'enseignement fort efficace.

Auntie Ella, de son côté, m'invite chez une artiste. À la table familiale, où est étalé un buffet froid, la mère âgée de l'artiste préside. Le vicaire anglo-indien de la paroisse, un Aryen du nord aussi blanc que mes propres frères, converse des affaires financières et une Anglaise de Londres, issue d'une famille d'artistes, tient une place importante à ce repas. L'hôtesse, riche propriétaire pratiquant la religion des parsis, anime la soirée.

Cette grande artiste me fait l'honneur de me présenter son œuvre picturale. Je puis apprécier l'originalité de sa création et la finesse de ses coloris, autant que la modestie de l'auteur: cette modestie des grandes familles qui, ayant reçu tout par héritage, connaissent exactement leur petite place dans le monde ainsi que la relativité de toute chose. Le choix des invités, tous plus ou moins étrangers à l'Inde, témoigne de l'isolement de cette classe riche. Les parsis, étant venus d'ailleurs, ont formé «bande à part». Une toile où un feu central brûle sans se consumer, retient spécialement mon attention. Ce tableau est profondément religieux. En effet le culte du feu est vivant dans la religion des parsis. La Bible ne nous présente-t-elle pas, elle aussi, Dieu se manifestant à Moïse, au buisson ardent, comme un feu qui brûle sans se consumer? L'intuition de qui cherche Dieu est «une» et la révélation est venue la confirmer et l'affirmer en nommant Dieu «Celui qui est».

Mais le Dieu de la révélation, les musulmans le connaissent et le nomment. Voici un récit de ma rencontre avec deux jeunes fils d'Abraham.

À moins d'une demi-heure de marche de Modern Lodge, dans des directions opposées, trois églises catholiques romaines regroupent les familles chrétiennes formant paroisses. En plus, il y a la chapelle des Missionnaires de la Charité et deux églises protestantes, appartenant à la Confédération des Églises Unies Indies du Nord, qui sont ouvertes et fréquentées par une population fervente. Se recueillir en église est donc chose facile.

Cet après-midi, c'est vers Saint-Thomas que je me dirige. Cette paroisse est desservie par les Jésuites. Leur monastère, situé à côté de l'église, assure le service permanent d'un gardien des lieux qui ouvre pour les fervents la lourde porte verrouillée de la maison de Dieu.

L'église est déserte. La lumière colorée des vitraux m'attire. Assise non loin du tabernacle, les yeux clos, une prière silencieuse m'absorbe totalement.

Après un temps que je ne saurais mesurer ni en minutes ni en heures, j'ouvre les yeux sur des arcs-en-ciel de lumière filtrée par les vitraux. Ô surprise, je ne suis pas seule. Assis à ma droite, les yeux braqués sur moi, deux jeunes garçons m'observent, immobiles et fascinés. Ils ont l'âge de mes élèves du Canada et à peu près la même allure. Je leur adresse la parole: «Est-ce que vous me surveillez?» «Oui», me répondent-ils.

— Je suppose que vous êtes chrétiens et que, comme moi, vous venez prier.

— Nous sommes musulmans. Nous sommes entrés ici par curiosité.

— Fréquentez-vous un temple de votre religion?

— Oui, nous prions avec notre père à la mosquée.

— Vous priez le même Dieu que nous, les chrétiens, n'est-ce pas?

— Oui, le même Dieu et Abraham est notre père commun dans la foi.

— Vous avez raison. Nous aussi, les chrétiens, sommes des fils d'Abraham dans la foi. Nous sommes donc des frères, n'est-ce pas?

— Nous sommes frères, me répondent-ils avec une joie dans les yeux.

— Et je m'en réjouis car vous êtes de braves garçons. Est-ce que Jésus-Christ est important pour vous?

— C'est un grand prophète. En est-il de même pour vous?

— Pour nous, chrétiens, certes Jésus est un grand prophète, mais il est aussi le fils de Dieu, son fils unique. D'après les Écritures, nous percevons que Dieu est «Un» en trois personnes: Père, Fils et Esprit. Ils sont toujours unis. Mais un jour, le Fils, Jésus-Christ, s'est fait homme comme nous, tout en demeurant Dieu.

— Ce que tu nous dis là concernant Jésus-Christ n'est pas dans notre religion. Mais cela nous intéresse de t'entendre car à notre école, on nous enseigne toutes les religions au cours d'histoire.

Ici commence une catéchèse émouvante où, sans brisure d'attention, les questions bien posées appellent les réponses précises qui donnent lieu à d'autres questions honnêtes sans doute inspirées par des intelligences avides de connaître, mais surtout par des cœurs manifestement touchés par l'Esprit-Saint.

Ce dialogue émouvant a duré, hors du temps mesurable, dans une disponibilité totale qui est l'œuvre de l'Esprit. Ils avaient accueilli Jésus-Christ Dieu fait homme, illuminés par la transcendance du mystère; et plus, Jésus-Christ Eucharistie leur apparaissait dans sa réalité de merveille de l'AMOUR. Ils avaient compris «le procès de Jésus», la jalousie des grands prêtres, devant ce Dieu prêtre, la crainte «des rois» devant ce Dieu Roi des Juifs, la méchanceté des foules devant ce Dieu thaumaturge qui avait guéri leurs frères, ressuscité leurs sœurs et montré la voie droite de l'amour simple et pur en leur présentant comme modèles leurs propres enfants...

— Nous avons du mal à comprendre tant de méchanceté puisque Jésus était prophète.

— Beaucoup d'autres prophètes ont aussi été tués dans l'histoire juive, vous savez.

— C'était injuste!

— Oui, évidemment, mais ce qui est pire encore, c'est que toutes les Écritures juives, la Bible, annonçait clairement Jésus. Ils ne l'ont pas reconnu car ils espéraient un libérateur puissant sur le plan politique qui les délivrerait de la domination romaine. Le message du Christ était bien plus universel, il visait la libération du cœur de l'homme.

— Nous avions déjà entendu parler de cette histoire, mais sans jamais la comprendre. Vraiment, ton explication nous éclaire. Nous aimerions voir un portrait de Jésus.

— Nous en avons un véritable, mais il n'est pas dans cette église. Je ferai des recherches dans les centres chrétiens de votre ville afin de pouvoir vous le montrer.

— Parle-nous de ce portrait.

— Pour le comprendre, vous devez écouter la suite de l'histoire de Jésus qui avait annoncé qu'il revivrait après sa mort, qu'il ressusciterait. En effet, des amis ont placé son corps dans un tombeau, et après trois jours, des femmes qui s'y rendaient porter des aromates, trouvèrent la pierre du tombeau enlevée. C'est alors que deux anges, se trouvant devant elles, leur parlèrent en ces termes: «Pourquoi cherchez-vous le Vivant parmi les morts? Il n'est pas ici mais il est ressuscité.» En grande hâte, elles allèrent rapporter tout ceci aux apôtres. Deux d'entre eux accoururent au tombeau. Une fois entrés dans celui-ci, ils virent, gisant par terre, les linges ayant servi à envelopper le corps de Jésus, et bien roulé, mis à part, le suaire qui avait recouvert sa tête. Ce précieux tissu a été conservé au cours des siècles et il fut retrouvé un jour, à Turin, en Italie. C'est pourquoi nous le nommons: saint suaire de Turin. Il a été l'objet de multiples recherches scientifiques et on y découvrit, bien imprimés, les traits du visage de Jésus. C'est ce portrait du Christ que j'aimerais vous montrer.

— Et c'est celui que nous aimerions voir!

Il y eut un instant de silence, puis mes deux amis, me regardant, ajoutèrent: «Mais, alors, Jésus est donc vivant...»

— Oui, vivant et intimement présent à nous de multiples façons. C'est une grande vérité. Avant de quitter ce monde, Jésus a promis de ne pas nous laisser orphelins. Aussi nous donne-t-il son Esprit-Saint qui, jour après jour, nous rappelle son message et nous invite à vivre en enfants de Dieu, confiants dans l'amour de notre Père. Jésus aime les humains, particulièrement les plus seuls et les plus démunis et c'est ce que Mère Teresa a compris. Oui, Jésus nous fait comprendre que la seule chose qui compte vraiment pour Dieu, c'est l'amour. C'est pourquoi, d'une façon particulière, il invite chacun à aimer. Vous avez grandement raison: Il est vivant!

Le silence nous enveloppe un instant. La lumière, colorée par les vitraux, se dépose sur nous comme de multiples confettis de fête nous arrivant du ciel. L'heure est à la joie!

Le plus âgé de mes deux amis se retourne vers moi et me dit: «Je veux que tu viennes chez moi rencontrer ma mère et lui raconter tout ce que tu nous a dit.» À la fois surprise et touchée par cette invitation, je lui réponds: «Je préférerais que tu en parles d'abord à ta mère et si elle désire me voir, alors, tu n'auras qu'à venir me chercher à mon hôtel. Cela me fera plaisir de la rencontrer.»

Nous sortons de l'église et marchons une bonne demi-heure sur la rue des musulmans, saluant amis et connaissances de mes deux compagnons. Ils me reconduisent à mon hôtel, Modern Lodge, et c'est là qu'ils reviendront me chercher demain pour la rencontre projetée, me réservant une invitation surprise au restaurant.

Ils sont fidèles au rendez-vous que nous nous étions fixé hier. Nous nous rendons au restaurant de leur choix. Un thé m'est apporté ainsi que des brochettes de mouton car c'est, à leur avis, ce qu'il y a de meilleur ici. À la fin du repas, l'aîné me précède pour régler lui-même la note. Étudier, travailler dans ses temps libres, avoir une moto Yamaha, danser les fins de semaine au YMCA et rencontrer la jeunesse européenne présente à Calcutta, voilà les valeurs qui construisent sa très fière personnalité.

«Maintenant, je vous emmène chez ma mère, me dit-il, elle veut vous rencontrer.» Nous avons à marcher à travers voies ferrées et terrains vagues. Nous montons dans le tram et enfin nous voilà dans un quartier résidentiel où les petites maisons ont les murs bétonnés. «Voici mon chez-moi, m'indique-t-il, la maison nous appartient.» La demeure est jolie et affiche, au deuxième étage, une large véranda protégée par un treillis d'agréable allure. Les pièces sont petites mais il y circule un air frais. La mère apparaît, entourée de ses enfants qui la chérissent. Elle s'assoit sur le bord du lit familial. Ses enfants l'accompagnent. À moi, on tire une chaise. La conversation est conduite par le fils qui sert d'interprète entre la mère et moi.

Cette femme de religion musulmane est cloîtrée à la maison. C'est le père de famille qui assure les communications avec l'extérieur. À lui appartient le rôle de lecteur à la mosquée, où les femmes ne sont pas admises aux cérémonies religieuses. Il est aussi le commissionnaire attitré pour tous les besoins de la famille: une dame musulmane ne se promène pas avec un panier à provisions. J'ai voulu lui demander si elle apprécierait une liberté plus grande. Le fils refusa de traduire ma question, ajoutant, en guise de justification: «Ma mère, j'en ai besoin telle qu'elle est.» La grande tendresse que ce fils lui manifestait me parut la récompense d'une telle réclusion.

Ce fils avait été ému par notre connaissance chrétienne de Jésus-Christ. Alors, il me demande: «Je voudrais que tu expliques à ma mère ce que tu m'as dit au sujet de Jésus.» «Bien sûr», que je lui réponds, «mais d'abord, j'aimerais que nous prions ensemble pour que ce récit parte de mon cœur et atteigne le vôtre.»

Cette musulmane écoute avec un grand respect le récit de la condamnation de Jésus et me demande, à son tour, la raison du refus des Juifs qui continuent d'attendre un messie. Mes explications ont satisfait son esprit et son cœur. Entre le Christ et cette femme, le dialogue est engagé. Il m'a demandé de les présenter l'un à l'autre; j'ai fait mon ouvrage. La suite est un secret entre eux.

Mes jeunes amis me ramènent à mon hôtel. Sur notre passage, les gens s'arrêtent et nous parlent. Moi, jadis l'étrangère, me voilà maintenant la compagne de deux dignes fils d'Abraham. On me fait une place au restaurant des travailleurs, on vient causer avec moi, on me tient compagnie. Ces deux jeunes gens ne sont-ils pas les fils de leurs concitoyens, ne fréquentent-ils pas la même mosquée qu'eux? Alors, je suis des leurs.

Arrivée à mon hôtel, le dialogue est engagé. Le propriétaire est de religion musulmane, le concierge aussi, lui qui vit avec son enfant, un garçonnet dont le rire cristallin déride tous les cœurs. (On sait que, dans ce pays, les garçons suivent le père; la mère est au foyer avec les filles et les bébés.)

Ces deux jeunes gens ont été pour moi des anges gardiens. Eux aussi, ils ont fait leur ouvrage! Je ne les ai jamais revus, mais pour moi, plus de crainte sur la route, dès cinq heures du matin vers Mother House ou le midi et le soir vers la pouponnière et la clinique des sœurs. Cette rue musulmane, pauvre et misérable, est maintenant ensoleillée du sourire et de la bienveillance de ses commerçants, de ses mendiants, de ses passants, tous fils d'Abraham comme moi.

L'ACCUEIL DANS
UNE ÉGLISE INDIE DU NORD

La rue des Musulmans, que j'emprunte pour parcourir mes trajets quotidiens, fait un crochet. Dans cette équerre, pointe un remarquable clocher chrétien. C'est dimanche et il pleut sur Calcutta. Les portières, habituellement closes sur un parterre fleuri, sont aujourd'hui largement ouvertes. C'est un abri offert, et pour moi, l'occasion rêvée de satisfaire une curiosité éveillée depuis longtemps. J'entre donc. La célébration est en cours. Les femmes sont rangées à gauche et les hommes à droite. Une atmosphère de chaleur règne dans cette jeune communauté chrétienne où les fidèles sont enthousiastes et participants. Je prends place à gauche avec les femmes qui m'invitent.

Dans le chœur, un grand nombre d'ecclésiastiques sont debout face au peuple. Le président s'affaire avec simplicité et naturel, donnant un rôle à chacun. La communion, distribuée sous les deux espèces, est d'abord offerte aux hommes, suivis des femmes. Je m'approche à mon tour. Après ce Repas, un prêtre est invité à l'ambon, suivi d'un membre laïc de l'assemblée. Après une période de chants, le président m'interpelle en langue anglaise. Il m'invite à ses côtés et me demande d'expliquer à l'assemblée les raisons de ma présence en Inde. Je témoigne de Mère Teresa et de son invitation au bénévolat international, de la beauté des œuvres de sa communauté et de mon amour du peuple indien. Il traduit mon discours anglais en langue populaire et me remercie. Je suis honorée de cet accueil inattendu et si remarquablement chaleureux.

À la sortie de la messe, des séminaristes m'abordent et me convient à un échange sur l'histoire des religions. Ils me renseignent sur leur identité. Ils font partie d'une église protestante, membre de la confédération des Églises Indies du Nord qui regroupe six dénominations protestantes. Leurs prêtres sont issus de la «Haute Église»* d'Angleterre. «La célébration d'aujourd'hui était œcuménique» m'expliquent-ils, «et le prêtre invité était catholique romain.»

Je m'éloigne, réchauffée et ennoblie par cette rencontre d'une communauté où le peuple et ses prêtres ne font qu'un, où la foi et l'amitié unissent profondément célébrants et participants , où le Christ a réuni, par son Esprit, les fidèles en Église.

---

*   «High Church».

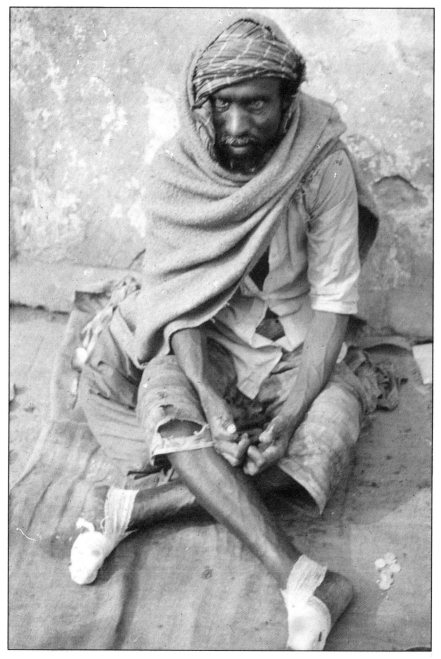

Le mendiant lépreux.

Presse pour extraire le jus de la canne à sucre.

MODERN LODGE

Une ruelle étroite, une enseigne modeste, et voilà Modern Lodge, mon nouveau paradis. La majorité des clients y sont japonais, mais comme il se doit dans un simple hôtel de passage, il y viendra également des gens d'un peu partout à travers le monde. Un charme particulier rend attrayant cet établissement. Sur le toit, se déploie une large véranda où le déjeuner est servi. C'est là l'occasion de rencontres intéressantes sous le soleil de Calcutta.

Pour la première nuit, j'aurai droit à une place à vingt roupies, dans une chambre d'accueil où se trouve un seul matelas d'une quinzaine de pieds de longueur où prennent place les arrivants de la nuit. Comme je suis la première à gagner le lit, je feins de m'endormir car je me sais suivie d'un bon Japonais à l'œil clair. La froide conversation intellectuelle que nous avons eue durant la soirée saura le tenir en respect. Arrivent, à tour de rôle, un Anglais et un Allemand assez fourbus pour ronfler candidement. La nuit au guet fut chaude et bonne. Elle guérit mon mauvais rhume et j'en souris d'aise.

Le lendemain, comme promis, une large chambre m'est offerte. Tout près du gardien de nuit, je sens ma présence de femme seule un peu insolite. Clarifions la situation: membre d'une communauté nouvelle du Québec, je viens travailler avec Mère Teresa. Mes cartes de créances sont complètes. Un double respect m'est acquis, ainsi qu'une nouvelle chambre située sur une mezzanine donnant sur la cour intérieure. On y accède par un escalier en fer forgé. Un étroit balcon, une porte et une fenêtre en assurent la sécurité et la salubrité. L'espace vital y est restreint. Au pied du lit, je peux tout juste loger une petite valise. Une corde servant de séchoir à linge traverse la pièce. Près de la fenêtre, une table petite et ronde complète l'ameublement. La chambre est basse mais l'air et la lumière y entrent à pleine fenêtre. Aucune ampoule électrique, seule une bougie éclaire mes courtes heures de lecture et poétise mes moments de recueillement et d'écriture.

Les commodités à l'indienne sont situées au rez-de-chaussée: toilettes et douches, seau pour le lavage du linge. C'est au prix très modique de douze roupies par jour, déjeuner compris, que m'est acquise cette parfaite cellule monastique, bien sûr, à cause de Mère Teresa. L'hôtelier suit la coutume du quartier qui favorise le bénévolat international d'un prix de faveur. C'est sa contribution personnelle aux œuvres de la Mère; j'en suis l'heureuse bénéficiaire.

J'éprouve un réel plaisir à décorer cette chambre bien nue. Une mince couverture de laine, une petite nappe rouge et un miroir achetés au «New Market», des rideaux coupés dans un vieux sari de soie payé un dollar sur la rue, une croix formée de petits moules en bois sculpté et une chandelle placée dans un bougeoir improvisé, et voilà un aménagement gracieux où il fait bon vivre. Il me semble que c'est déjà la richesse, le luxe. Serai-je, un jour, moins coquette et plus dépouillée? Les pauvres ici n'ont rien!

La liberté m'est maintenant acquise. Je descends chez les amis musulmans prendre avec eux la demi-tasse du traditionnel thé au lait. Un arrêt chez Christina et Florence. On allume une bougie, la veillée est joyeuse. La rue mouillée par ce jour de pluie est maintenant accueillante. La température plus élevée et une douceur moite donnent le goût de marcher longtemps. Je rentre en fin de soirée et je dors au chaud, car la chambre est parfaitement confortable pour l'hiver.

Les Indiens sont des lève-tôt. La rue s'éveille dès quatre heures et bientôt le son des moteurs et des klaxons dominent le chant des coqs. Les bruits des voix s'élèvent puis s'estompent dans une rumeur de fond de scène.

Mais ce matin, j'ai ce goût, bien nord-américain, de dormir tard. À mon lever, point n'est besoin de réveiller le concierge car tous les grillages de sécurité sont ouverts. Je m'en vais tout droit à Saint-Jacques où je retrouve Auntie Ella: c'est la joie! Nous recevons la communion sous les deux espèces. Ô sang précieux du Christ, à nouveau tu purifies mon âme, à nouveau tu la dilates à la joie du partage et du don, tu la combles par ces rencontres lumineuses comme des étoiles.

Remplie d'allégresse, je reprends le chemin du retour au monastère improvisé: Modern Lodge. Ce chemin des amis musulmans est aussi un chemin des pauvres. Six roupies de bananes, c'est bien peu pour mes vingt abonnés du matin, mais c'est le fruit du déjeuner dans les bonnes familles. Il est attendu et reçu avec reconnaissance. D'autres mains généreuses offriront le thé et peut-être les *pourri**, ces pains quotidiens à la fois légers et

---

* Pourri: pâtisseries légères frites à l'huile, se présentant comme des ballons soufflés, contenant à l'intérieur du dal en poudre.

nourrissants. Moi, je les réserve à mon client favori, un lépreux presqu'aveugle qui clame sa prière de musulman du haut de son minaret. Il fut contremaître d'une bonne entreprise avant sa maladie. Cette position de «cadre» lui conserve le respect de tous et, bien que lépreux, il reste lié à sa famille.

Mais qui sont donc tous ces mendiants du matin? Près de l'équerre que fait la rue devant le clocher chrétien, des vieillards sont assis. Ils sont ceux-là qui ont dépassé l'âge de travailler et qui ont choisi de mendier pour subvenir à leurs besoins et ne pas être à la charge de leurs enfants. L'Inde n'a pas, comme le Canada et les pays socialisés, un plan de pensions pour les «aînés». Ils mendient et c'est fort noble de leur part. En face du mur, de l'autre côté de la rue, une jeune femme, toujours la même, assise au même endroit, allaite un enfant couvert de plaies. Ses cheveux sont épars, elle a des marques sur les bras. À quelques pas d'elle, un homme la surveille. Il attend de sa misère étalée sa pitance à lui aussi. À l'approche des hommes, elle découvre sa beauté. Pour cette femme rencontrée sur ma route matinale, Jésus m'a demandé des prières et un regard d'amour pur. Elle souffre tellement de son état qu'un peu de sa dignité lui est rendue, peut-être, par un geste humain d'amitié.

Non loin de cette «Marie-Madeleine», je remarque un homme jeune aux yeux intelligents et noirs. Peut-être est-il déguisé en mendiant? Il se peut qu'il fasse partie du dix pour cent de mendiants professionnels qui ont choisi cette occupation comme on prend un métier. Ils constituent une société fermée au sein de la grande. Ils se connaissent et s'entraident. Un jour, j'eus compassion pour un pauvre déguenillé et lui fis l'aumône d'une chemise. Quelques jours passèrent et je me vis arrêtée dans un quartier fort éloigné par un autre pauvre qui, me voyant passer, m'arrêta et me demanda pour lui aussi un vêtement semblable. J'ai compris que mon signalement était donné à la ronde.

Du haut de la mezzanine, sans faire le guet, il m'arrive de remarquer les nouveaux arrivants à l'hôtel. Deux jeunes filles, sac au dos, déposent lestement leurs bagages. Elles s'interpellent en langue française. Cela suffit pour me tirer de ma «cellule». La communication est vite établie entre nous. Brigitte et Chantale sont deux infirmières de la Suisse française qui viennent en vacances, visiter l'Inde. Mère Teresa et son œuvre les intéressent. Je les conduirai d'abord à la pouponnière et plus tard, nous nous rendrons ensemble à la léproserie de Titagath. Demain matin, elles partent vers Darjeeling. Comme le lever tôt m'est habituel, je serai leur «réveille-matin».

Quatre heures trente! Je me lève. C'est l'heure matinale où la rue s'éveille et grouille. Des petits commerçants transportent la marchandise du jour sur charrette à bras ou roulent, sur le pavé raboteux, des tonneaux de liquides.

Sortir du Modern Lodge à cette heure est toute une entreprise. Il faut réveiller le gardien de nuit qui grogne bien un peu, lui demander de déverrouiller le grillage en fer forgé qui sépare la section des chambres du rez-de-chaussée de la cour, puis d'ouvrir les immenses portières qui isolent la cour intérieure de la ruelle. Un sourire, un merci et un léger pourboire compensent pour son dérangement. Il se rendormira bien vite, couché en rond comme un chat, sans même une paillasse, sur le comptoir en demi-lune qui lui sert de lit.

Cette marche matinale, à la pointe du jour, nous amène toutes, bénévoles que nous sommes, à la Maison mère, pour la messe. La messe, oui, mais aussi le sourire de Mère Teresa où brûle ce brasier d'amour divin qui allume nos flambeaux pour éclairer le jour qui commence.

LE VINGT JANVIER:
TITAGATH ET LES LÉPREUX

L'aventure d'aujourd'hui en est une d'envergure. D'abord, le trajet à bord de l'un de ces autobus aperçus déjà dans quelque film anglais, est une expérience en soi. Quelle aubaine de dominer ainsi notre environnement immédiat. Nous grimpons sur l'impériale, lestes et rieuses comme des écolières en vacances, courant au siège avant, nous félicitant de notre bonne chance. Le démarrage, bruyant et fumeux, provoque nos éclats de rire. À peine en route, les craquements de la carrosserie nous inquiètent bien un peu, et ce n'est que le début de l'aventure. Nous n'avions pas prévu le degré inquiétant d'oscillation que la suspension souple de ce véhicule en hauteur transmet, aux moindres aspérités de la route, à l'étage de notre perchoir. La confiance nécessaire à l'abandon nous manque dans le roulement de ce nouveau berceau improvisé. Il en résulte une tension crispante, doublée d'images de solutions de sécurité, en cas de renversement...

Après deux heures de cet exercice, le préposé aux billets vient gentiment nous avertir que nous voilà rendues à destination. Un essaim de gens se presse à l'arrêt d'autobus. Nous essayons de traverser ce nuage de monde. Il faut bien comprendre que dans cette municipalité éloignée des centres, l'arrivée de l'autobus est l'événement qui brise la monotonie du jour. Tant mieux si des parents ou des amis viennent ici en visite. Mais, des femmes blanches, vêtues à l'américaine, et trois à la fois par-dessus le marché, quelle aubaine à ne pas manquer! Nous sommes assaillies de toutes parts. Il nous faut parler notre langue car ils désirent l'entendre, chanter nos chants populaires et même improviser un théâtre pour cet auditoire de curieux affamés d'exotisme.

Parvenues à nous dégager, nous atteignons la voie ferrée par des ruelles étroites et remplies de charme. Un large patio ombragé sous des tonnelles de feuillage nous permet une halte bien méritée et un breuvage rafraîchissant. Nous échangeons nos impressions sur cet aspect de l'Inde, puis reprenons la route en longeant la voie ferrée. Nous suivons un sentier foulé sur les herbes sauvages, sous le soleil brûlant de midi. Au loin, apparaît un lopin de terre cerné d'un mur de crépi jaune. C'est la léproserie de Titagath. Nous arrivons face à un grand bâtiment, également jaune, sur lequel se découpe en lettres noires le nom du Mahatma Gandhi. Précurseur de Mère Teresa pour l'attention aux plus démunis, le nom du libérateur de l'Inde commande le respect de tous, même celui des lépreux.

Nous nous arrêtons devant l'établissement, cherchant la bonne porte. Visiter une léproserie, c'est dompter bien des peurs. C'est dépasser cette conscience collective que nous portons en nous et qui rejette la lèpre et les lépreux comme on répudie un péché et un pécheur public; c'est briser en nous des interdits pour élargir notre conscience à une dimension blessante de la fraternité humaine; c'est un peu ici, visiter des prisonniers condamnés à mort; c'est de prime abord, courir le risque de frôler une maladie inquiétante... Nous entrons.

Le frère Christian, responsable de l'établissement, nous accueille. Il est jovial, sain de corps et d'esprit. Nous visiterons les lieux en compagnie d'un guide attitré, un sourd-muet guéri de la lèpre et qui a choisi de vivre à Titagath. Notre liberté d'observation et d'intervention auprès des résidents est totale et cet homme jeune agit avec doigté et intelligence.

Nous devenons «muets» d'émotion devant les grands malades alités, soumis à des traitements. Bien sûr, des pansements propres couvrent les plaies béantes aux mains et aux pieds, mais les visages où la maladie a fait ses ravages, restent empreints de ce dégoût d'eux-mêmes qu'ont à vivre et à dépasser ces martyrs du rejet que sont les lépreux.

Nous sentons dans cet univers de souffrance, notre présence presqu'indiscrète. Avec un soupir de soulagement, nous apercevons en plein soleil une longue cour intérieure, cultivée en un jardin plantureux. Ce potager verdoyant fait la fierté des lépreux guéris, redevenus hommes libres, gagnant leur pain au travail. Ils nous saluent, tout joyeux de notre présence, de notre visite. Loin d'éviter les appareils-photos qui pendent à nos épaules, ils nous font signe de les photographier. C'est pour moi une surprise. Ces hommes ont donc recouvré leur dignité, leur joie de vivre et plus encore, un bonheur tout neuf d'enfants de Dieu. Avec quel empressement, ils ouvrent pour nous les étables où se prélassent des porcelets roses et noirs auprès de leur nourricière endormie, et des bovins au poil lustré sur des litières propres. Nous partageons leur contentement et admirons le modernisme de l'établissement.

Nous longeons l'allée centrale et pénétrons dans un bâtiment en longueur où quarante métiers à tisser sont alignés. Les pièces sont montées sur chaînes en coton blanc et bleu, blanc et rouge, blanc et vert. Les navettes actionnées par des hommes experts tissent ces carreaux que nous retrouvons un peu partout dans les maisons des Missionnaires de la Charité, sur les couvre-lits ou sur les lingeries de toutes sortes.

Notre guide, qui sait programmer une visite, a gardé pour la fin les unités d'habitation familiale. Là nous accueillent, sur le seuil de leur porte, femmes et enfants des lépreux mariés. Confiantes comme les hommes rencontrés au travail, elles tendent leurs bébés, sourient sans gêne, en femmes libres qu'elles sont, devant les témoins que nous sommes de leur vie humaine assumée et réussie. Femmes de lépreux guéris, elles ont brisé les interdits qui éloignent les stigmatisés de la lèpre de la compagnie des humains.

De retour au bureau du frère Christian, le thé indien nous est servi: accueil traditionnel du pays. Buvons-nous à la coupe des déshérités de ce monde? Ce thé rouge de vie est le meilleur que je n'ai jamais goûté à Calcutta.

L'arrivée d'un jeune Américain coupe notre conversation. Nous nous reconnaissons. Il était présent à la fête des enfants au zoo, faisait le tour des groupes, «Kodak» en main. En effet, il se présente comme photographe œuvrant pour la documentation internationale des Jésuites, et il ajoute avec humour: «Je vous ai sur cliché en train de photographier des enfants. Je vous reconnais.» «Moi aussi je me souviens de vous», que je lui réponds. Nous causons, évoquant les moments précieux de notre présence en Inde et des merveilles accomplies par Mère Teresa.

Le temps est venu de retourner à Calcutta. Tant de questions se posent en nous que nous décidons, avec frère

Christian, d'une seconde visite dans un délai assez court pour garder vivante l'impression première de ce contact avec les lépreux.

Notre cœur, éveillé par cette création extraordinaire d'hommes nouveaux, jubile d'espérance et d'amour. La lumière divine nous a montré une léproserie riante au soleil du bon Dieu. Il semble que nous avons été des invitées privilégiées dans une oasis de paix.

Un jour neuf nous ramène à Titagath. Armées de nos appareils-photos et d'un plan d'entrevue fouillée à soumettre au frère Christian, nous ferons une visite à froid, dans un but documentaire. Il s'agit de renseigner le monde, à la manière des journalistes.

Visiter Titagath, sans ce courant d'amour divin qui transforme toute misère en joie, est une pénible expérience. Les sens captent aujourd'hui avec acuité, implacablement, tous les désagréments de la situation. C'est vrai que la chaleur est montée de quelques degrés, et que l'odeur pénétrante de la lèpre colle à nos vête-ments, à notre peau. Les pansements sont plus légers, et même enlevés à cause de la chaleur. S'étalent à ciel ouvert visages et membres rongés, ravagés par la maladie. Rodin ou Michel-Ange n'ont pu imaginer un enfer de supplice plus grand, et m'y voici moi-même descendue. Aujour-d'hui, le sourire confiant de ces gens qui tendent leur misère acceptée à l'œil implacable de mon appareil creuse dans mon cœur devenu païen, une révolte sourde et profonde. C'en est trop mon Dieu, pour du pauvre monde. Maudire devrait être pour eux plus naturel que leur apparente joie incompréhensible.

Nous visitons à nouveau ces grands potagers qui défient tous nos concours maraîchers; ces porcheries mieux tenues que des enclos d'exposition; ces ateliers de tissage où par magie les carreaux bleus, blancs, verts et rouges dansent au soleil. Dehors, se tordent les écheveaux de fils de coton à peine sortis des bains colorés de teintures végétales, profonds et impénétrables. Au centre, comme dans une oasis, des enfants blottis dans le giron des mères heureuses sourient d'aise devant nous.

— Frère Christian, bonjour!

— Une tasse de thé?, nous offre-t-il, affichant un franc sourire.

— Oui, bien sûr, avec plaisir.

Frère Christian, missionnaire de la Charité, fait partie de la branche masculine de la communauté. Ils sont quatre cents membres et le groupe a neuf ans d'existence. Ils reconnaissent Mère Teresa comme fondatrice. Les frères sont entièrement responsables de la léproserie.

Ici à Titagath, résident quatre-vingt familles. Plus de quatre cents lépreux y travaillent régulièrement. Environ quatorze mille malades y ont reçu des soins depuis la fondation.

Les lépreux qui ont choisi le mode de vie actif et rémunéré à Titagath sont peu nombreux par rapport au nombre important de ceux qui y ont été soignés. La plupart préfèrent vivre en ville et mendier sur la rue leur pain quotidien. En dehors de cet unique atelier protégé de Titagath, pas question pour ces gens de chercher un emploi sur le marché du travail. Les lépreux, même guéris, sont des «mis à part», des destitués de la société. Ils gardent à jamais les stigmates de cette maladie qui, depuis des millénaires, isole ceux qui en sont atteints de la compagnie des hommes.

À Titagath, sont traités les habitants de la banlieue de Calcutta. Deux mille nouveaux cas se présentent

Tea-shop du coin de ma rue.

Point d'eau.

Les fontaines.

Troupeau de chèvres à la fontaine.

chaque année. J'ai demandé au frère Christian des précisions sur la vie des résidents de la léproserie ainsi que sur leur travail.

Il m'explique: «À l'atelier de tissage, long bâtiment étroit, quarante métiers sont montés et ce sont les hommes qui y travaillent. La production est entièrement absorbée par la communauté de Mère Teresa. Une balle de coton coûte 5,500 roupies, soit près de 700 dollars américains. On utilise cent de ces balles chaque année. Les légumes produits sont aussi consommés par la communauté. L'élevage des porcs qui sont vendus exclusivement pour la viande, rapporte annuellement sur le marché 100,000 roupies, soit environ 12,000 dollars américains. Le bœuf, moitié vendu au marché, moitié consommé par la communauté, procure environ 2,100 roupies, soit la modique somme de 260 dollars américains.»

«Nous sommes loin d'être auto-suffisants. Nous payons en salaires, 80,000 roupies par année, soit 10,000 dollars américains, mais d'ajouter le frère Christian, nous ne visons pas la rentabilité, nous ne sommes pas une entreprise à but lucratif. Nous occupons dignement des personnes humaines et nous les rémunérons selon les critères d'une vie économique normale dans notre pays.»

LA LÈPRE ET LES LÉPREUX

Frère Christian, visiblement réjoui de l'intérêt que nous portons à nos frères lépreux, s'empresse de nous fournir de plus amples informations.

«La lèpre n'est plus une maladie incurable. Deux laboratoires en Italie et en Allemagne ont mis au point des médicaments efficaces au traitement de la lèpre. La durée de ce traitement est de deux ans.

«Ici à Titagath, nous procédons avec des moyens très humbles. Neuf frères infirmiers ont reçu un entraînement spécial. Ils sont responsables des traitements à la léproserie.

«Tous les travaux usuels, selon notre principe de réhabilitation, sont exécutés par des lépreux. Tout le personnel employé ici, excepté les frères, est lépreux: autant les hommes que les femmes.

«Il est acquis que la lèpre est maintenant curable et n'entraîne aucune difformité, si elle est traitée dès les premiers symptômes. L'éducation de la population est à faire pour conjurer cette «peur de la lèpre» qui empêche ceux qui s'en croient atteints de se présenter au dispensaire, et pour permettre la réinsertion familiale et sociale, et la réinsertion dans les milieux de travail.»

Au moment même où frère Christian tient ce propos, arrive un homme d'apparence fort normale. Il vient subir le test sanguin de dépistage de la lèpre.

L'infirmier pratique une incision au lobe de l'oreille. Le sang jaillit. Un papier tournesol est appliqué. La présence du bacille de la lèpre (bacille de Hansen) change la couleur du papier.

Les premiers symptômes de cette maladie sont des taches hypochimiques sur la peau du dos, des mains et des jambes, ainsi que l'insensibilité de plus en plus profonde de ces endroits du corps.

«Ce qu'il faut démentir à propos des lépreux, de continuer le frère Christian, c'est la paresse qu'on leur attribue. Ces gens ont besoin de confiance, qu'on les traite en humains pleinement responsables d'eux mêmes. Leur sensibilité particulière, aiguisée par l'isolement et le rejet que leur impose cette maladie, leur confère un sens aigu de la dignité humaine et du respect dû à leur perssonne.»

Les lépreux peuvent se marier entre eux. Les enfants issus de leur union ne sont pas atteints de la maladie: la lèpre n'est pas une maladie héréditaire. Les familles ne sont pas nombreuses.

Le territoire de la léproserie s'étend sur deux acres longeant la voie ferrée; le terrain est fourni par le gouvernement, moyennant le paiement des taxes. C'est un grand projet, le seul du genre près de Calcutta. (Il en existe un semblable maintenant, au nord de l'Inde.) Le financement dépend de Mère Teresa, donc de l'entraide internationale.

Je recueille précieusement ces derniers renseignements avant de quitter Tatagath: un monde qui deviendra pour moi lointain, mais à jamais présent et gravé dans ma mémoire.

La clinique externe remonte à l'année 1958; le système hospitalier actuel, à 1968; le programme de réhabilitation, à 1978. Depuis le début, 13 500 personnes ont été traitées. De 1974 à 1981, 500 personnes ont travaillé au projet. Actuellement, 102 malades sont résidants, 46 familles vivent dans des logis séparés. On compte généralement 2 à 3 enfants par foyer. Comme nous l'avons mentionné, la planification familiale est naturelle: la maladie rend souvent les hommes stériles.

Le frère rappelle cette statistique terrifiante: à Calcutta vivent 80 000 lépreux, sur une population de huit millions d'habitants: une personne sur cent souffre de la lèpre. Aucune clinique en ville pour les secourir. Maintenant que les chercheurs ont fait leur part, la formule des médicaments, et que les compagnies pharmaceutiques les ont fabriqués, il reste notre part, celle des médecins, des infirmières, des institutions, des églises, des gouvernements... afin que des frères en Jésus donnent leur avoir, leur temps, leur vie, au service de ceux qui n'ont d'autre solution que d'attendre la générosité de ceux à qui ont été donnés santé et biens de ce monde... et ...un cœur ouvert à la joie du don, à la suite de Teresa de Calcutta qui en a fait sa vie.

Sur ce, voici les recommandations de frère Christian: «Nous suggérons des projets de quartiers, par petits groupes, ce qui est inexistant à Calcutta. Nous sommes ici à Titagath, dans cette municipalité de banlieue, la seule institution pour desservir un grand bassin de population.

À Calcutta, le visage des rues de la ville est fait en partie de cette multitude de malades que les passants osent à peine regarder pour glisser une roupie dans leur gamelle... et dans leur cœur un peu d'amour.»

Notre mentalité de bien nantis nous porte à tenir compte de la beauté physique, des vêtements, de la belle allure... La rencontre des lépreux nous conduit au-delà des stigmates laissés par la maladie au cœur même de la personne humaine, de sa dignité, de son respect profond: cette rencontre ennoblit, régénère, reconstruit. Un lépreux guéri, c'est beau comme un pécheur pardonné. L'humilité le couvre de la dignité la plus profonde, comme le pardon de Jésus enveloppe le pécheur d'une beauté indicible.

Ils sont un peuple au milieu du monde, réunis parce qu'isolés, et sur qui l'amour du Christ appelle l'amour des frères, médecins et missionnaires, à qui est promis sur terre le centuple de la joie.

Les pauvres nous évangélisent, les plus pauvres d'entre les pauvres que sont les lépreux nous révèlent au plus profond du cœur le plus secret du message évangélique.

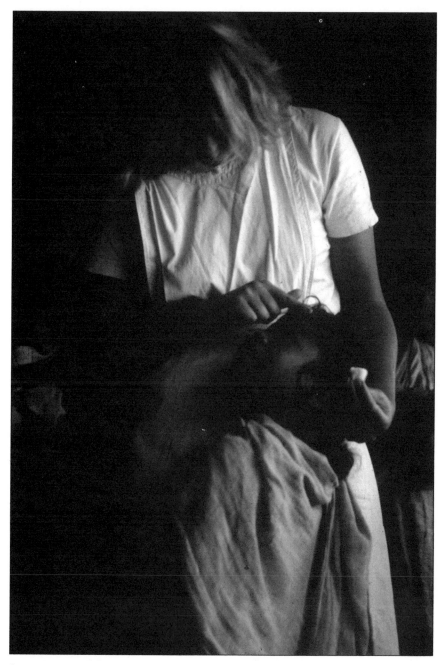

À la clinique de Sealdah, une infirmière bénévole française.

Une jeune mère à Sealdah.

PREM DAN: «CADEAU DE L'AMOUR»

À partir de mon hôtel, et après une bonne demi-heure de marche en plein soleil, voilà que j'arrive à un chemin élevé qui surplombe un immense bidonville longeant la voie ferrée. Au milieu de ce spectacle déroutant, surgit une allée de palmiers et de jardins aboutissant à un long bâtiment recouvert de crépi peint en jaune: Prem Dan. Ce nom veut dire: «cadeau de l'amour». L'édifice est, en effet, un cadeau d'une compagnie pharmaceutique à Mère Teresa, la C.I.C.

L'œuvre vit ses débuts en 1972. Depuis, quatre cents personnes, dont surtout des enfants du bidonville, ont été aidées par cette institution. Il n'y a pas de thérapie occupationnelle, ni d'aide de physiothérapeutes, mais trois médecins volontaires du Club Rotary y dispensent les soins. La nourriture est distribuée aux malades et donnée en gage aux enfants qui travaillent sur les lieux. Les femmes, selon la méthode de Mère Teresa, reçoivent une ration pour un jour de travail, les hommes eux, sont payés en argent ou bien reçoivent des vêtements ou de la nourriture.

Je rencontre sœur Christobel, la directrice, une religieuse à la fois forte et douce, brillante et pleine d'humour. Elle a elle-même suivi tout son cours de médecine sans se présenter au certificat, pour obéir à l'exigence d'anonymat demandé par la Mère. Ici à Prem Dan, vivent vingt professes et quatre-vingts novices. Les sœurs y ont leur maison et une très jolie chapelle. Le personnel est renouvelé tous les six mois à cause, sûrement, de l'énorme travail exigé par cette œuvre. Deux prêtres assurent la célébration de la messe à chaque matin pour les sœurs et pour les malades. Une grande partie des enfants qui sont ici guérissent grâce aux bons soins qu'ils reçoivent et reviennent y passer leurs vacances. Une école, sur les lieux, offre des cours de chant et de travaux manuels. Les couturières que j'ai rencontrées à la pouponnière sont des jeunes filles formées sur place; elles logent dans les abris de fortune de ce quartier.

Sœur Christobel m'explique: «Nous visitons toutes les familles du bidonville. Cinq cents d'entre elles sont catholiques et cinq mille ne le sont pas. Toutefois, ces familles ont un point commun. Vivant dans des conditions malsaines, elles sont toutes atteintes de tuberculose! Nous donnons aussi des informations en matière de planning familial. Nous préconisons les méthodes naturelles. Toutefois, les femmes comprennent difficilement le calendrier, lire un thermomètre est comme une magie qui leur échappe et les hommes ne veulent rien entendre en cette matière. Nous donnons les instructions, mais ces femmes nous reviennent l'année suivante portant un bébé de plus dans leurs bras. Nous misons toujours sur la génération qui suivra. Les filles en auront entendu parler par leur mère et elles auront peut-être développé une nouvelle attention à leur corps. La compréhension de leur cycle leur deviendra peut-être plus familière. Nous créons aussi de ces cliniques dans les villages. Le gouvernement, lui, enseigne, dans les cliniques de la ville, la contraception selon les méthodes artificielles actuellement pratiquées dans les autres pays. Vous savez, parler de contrôle des naissances dans ce pays, ce n'est pas une mince tâche.

Il n'y a rien pour moi d'aussi drôle que nos interventions dans ce domaine. C'est de la pure comédie!»

Mon expérience à Prem Dan

À Prem Dan, il y a une section pour les hommes, une autre pour les femmes, et une pour les enfants handicapés. Mon expérience se situe dans les deux premières. Les adultes qui viennent ici sont trop malades ou handicapés pour vivre en ville ou sur la rue. Toutefois, ils ne sont pas, comme au mouroir, sur le point de rendre l'âme. Comment employer, en milieu fermé, ce temps qui coule implacablement? C'est de toutes les institutions de Mère Teresa, celle où la vie des adultes m'a semblé la plus pénible. Les bénévoles s'y font rares, n'ayant pas la publicité internationale du mouroir, ni les visiteurs du monde entier comme à la pouponnière où l'espérance et la joie fusent. Au mouroir, la situation est claire. Mais œuvrer dans un «vivoir» pour personnes en détresse, hommes, femmes, enfants déshérités, infirmes dans leur corps et dans leur intelligence c'est un véritable défi au désespoir. «L'espérance est reconstruite ici jour après jour, m'explique la directrice, et le prêtre, par la messe, redonne beaucoup d'espoir et de réconfort au travers de ses sermons et dans le partage de l'Eucharistie.» Ressentant l'énorme poids de cette misère humaine, j'ajoutai: «Heureusement que vous changez de mission assez fréquemment.» Et la religieuse, visiblement touchée de ma compassion, esquissant un léger sourire imprégné de douceur, me répond: «Prem Dan est dur, il est vrai, mais le changement de mission n'apporte guère de différence profonde à nos vies. Partout, nous portons la peine des pauvres et des malades; vous savez, elle est toujours présente à nous...»

Il m'a semblé que le manque d'occupation était ici la situation la plus pénible. Je me suis intéressée, chez les femmes, à leur apparence physique, je leur ai coupé les cheveux d'une manière jolie et personnelle. Chez les hommes plus démunis, je me suis appliquée à les aider à couper leurs ongles pour rendre propres leurs mains et leurs pieds souvent difformes.

J'ai causé longuement avec un homme, jeune encore, intelligent et instruit qui réclamait les journaux du matin. Je ne manquais jamais de les lui apporter. Cet homme rebuté par la vie s'était réfugié à Prem Dan, refusant toute forme d'activité en ville, un peu comme certains de nos clochards bien connus ici à Montréal, qui ont choisi, on ne sait trop pourquoi, de s'arrêter d'agir pour mendier leur pain quotidien...

SEALDAH STATION: ÉCOLE, CLINIQUE ET DISTRIBUTION DE LAIT

Près de la gare, à vingt minutes de marche de Sichu, sur Low Circular Road, rue d'une largeur inaccoutumée servant de parking aux voyageurs et bordée d'un trottoir de plus de six mètres de profondeur, se dresse Sealdah Station. À l'intérieur d'un long bâtiment, sont aménagées une clinique médicale de quartier, une salle de réception pour les mères de bébés sous-alimentés et une école pour les enfants sans famille vivant en groupes en bordure de la voie ferrée.

Chaque matin, les sœurs font l'appel et les enfants accourent. Elles les baignent, changent leurs vêtements et les épouillent. Un grand verre de gruau leur est servi pour déjeuner et c'est ainsi qu'ils se rendent en classe où des éléments de lecture ainsi que les rudiments des mathématiques leur sont enseignés. La multitude des religions auxquelles ces jeunes appartiennent ne permet pas aux sœurs de les instruire de la religion chrétienne, car cela pourrait créer un isolement supplémentaire pour eux.

Certains enfants viennent de la campagne. Ce sont des garçons, et le soir leur père vient les chercher, conformément au principe de la religion hindoue qui veut que les garçons soient confiés très jeunes au père pour leur éducation. Mais la majorité des enfants sont seuls, abandonnés, sans famille. Ils se tiennent ensemble et mendient leur nourriture. Ils dorment tous à la belle étoile sur ce grand espace vert en bordure de la voie ferrée. À leur école de Sealdah, la religieuse titulaire de la classe m'a invitée à les rencontrer. Comme ils parlent diverses langues, j'ai imaginé, pour communiquer avec eux, un mime auquel ils ont répondu par des rires et une joie quasi délirante. Il faut voir la clarté de leurs grands yeux noirs et la beauté fraîche de leur visage. Comme tous les enfants du Bengale, ils sont doux, polis et tellement attachants; aucune trace de délinquance dans leurs comportements simples et confiants.

Tenue par les sœurs, la clinique médicale est ouverte chaque jour. Les bénévoles y sont accueillis à bras ouverts, surtout les infirmières car les malades y affluent, souvent portant des plaies aux jambes, aux bras et au cuir chevelu, occasionnées de toute évidence par la sous-alimentation,- le manque d'hygiène élémentaire, les parasites et les accidents.

La distribution du lait aux mères des bébés sous-alimentés est une tâche délicate et difficile à accomplir à cause du surnombre et des «prédateurs»... Les femmes sont maintenues en rangées et doivent présenter leur carte attestant qu'elles sont visitées par les sœurs. Il faut dater la carte soigneusement à chaque ration offerte afin d'éviter les tromperies. La quantité de lait distribuée chaque matin est limitée. Il faut donc ne pas commettre d'erreur. Des femmes empruntent la carte de celles qui ont reçu leur ration et tentent leur chance, soit par nécessité, soit pour ensuite commercer le lait ainsi obtenu. Il faut être vigilant et faire autorité au besoin. Pour les non-initiés, bénévoles comme moi, cette rigueur est fort pénible. Pénible surtout ce spectacle des mères en haillons portant des bébés malingres et tendant, pour les faire remplir, des bouteilles de tous genres souvent mal lavées ou bien des récipients abîmés par la rouille. Mais je vous dirai que le plus tragique, je l'ai vécu à mon retour ici devant notre gaspillage. Que dire de cette quantité de contenants propres que nous jetons chaque jour, faute de recyclage, et qui encombrent notre sol. La honte que j'en ai éprouvée ne peut s'exprimer en notre civilisation de l'argent et de la surconsommation.

Aux Indes, chaque matin avant l'aube, on peut voir sur les amas de détritus, des femmes qui ramassent, pour gagner leur pain, tout ce qui peut être revendu. Ici, rien n'est jeté. Voici un exemple concernant les montagnes de papier jeté quotidiennement à la poubelle par professeurs et écoliers dans notre pays. J'achetai un jour des friandises dans une confiserie bien tenue. Eh bien! l'empaquetage était soigneusement fait dans des cahiers d'écoliers, très propres, sur lesquels on pouvait lire les opérations arithmétiques soigneusement alignées...

Est-ce assez dire? Non, ce n'est pas assez pour agir. L'éducation de la pauvreté est-elle possible dans un pays de surabondance comme le nôtre? Voyage-t-on pour connaître nos frères les pauvres; ils nous apprennent le respect des personnes et des choses...

LE CATÉCHISME

Je n'ai pas eu l'occasion de visiter toutes les écoles des Missionnaires de la Charité, mais une autre initiative des religieuses à laquelle j'ai eu la joie de participer, est celle du catéchisme en paroisse le dimanche.

Au matin du premier jour de la semaine, une armée de sœurs se rendent aux églises paroissiales pour dispenser l'enseignement religieux aux adultes. Ceux-ci se regroupent, après la messe dominicale, dans les parterres des églises où ils reçoivent, dans un recueillement édifiant, l'enseignement de la Parole de Dieu. Les mères du conseil, mère Cabrini, mère Frederic et d'autres, sont nommées pour ce travail délicat. Les jeunes sœurs, elles, se rendent dans des salles d'écoles où les enfants et les adolescents, répartis par groupes d'âge, assistent aux enseignements.

Un dimanche de janvier, Marie Anandini et l'une de ses compagnes m'ont amenée assister au catéchisme et visiter un bidonville durant l'après-midi. Là, une famille chrétienne nous a reçues. La conversation avec les deux jeunes filles de cette maison est pour moi un souvenir touchant. Ces deux chrétiennes s'interrogeaient sur leur vocation et désiraient se faire religieuses dans la voie de la contemplation et de l'évangélisation. Elles écoutaient avec joie le récit de cette fondation récente et tellement dynamique de sœur Jeanne Bizier: Myriam Bethléem.

Elles demandèrent même l'adresse de la communauté à Baie-Comeau, au Québec.

Ce récit de voyage touche à sa fin... et au bout de ce périple, mon cœur est rempli de l'Inde que j'ai connue et aimée à travers mes expériences de bénévolat chez Mère Teresa et ses sœurs. Dans chacune de leurs œuvres, j'ai observé la même démarche. D'abord rencontrer les bénéficiaires et les religieuses qui travaillent à leur service et puis, m'y engager moi-même durant deux ou trois semaines consécutives. Par la suite, j'aimais rencontrer dans une entrevue amicale, les responsables afin de poser les questions pertinentes, de photographier les personnes connues et amies et ainsi obtenir ce que j'appellerais «des portraits de famille». La léproserie a fait obstacle à cette démarche, n'étant pas ouverte au bénévolat.

L'entrevue avec sœur Luke, au mouroir, est particulière à cause de la forte personnalité de cette religieuse qui a bien voulu parler à la jeunesse canadienne. Je l'en remercie tout particulièrement. Je remercie aussi personnellement sœur Denisia, responsable de l'adoption nationale et internationale, cette religieuse au cœur de mère qui m'a témoigné une si grande confiance.

ENTREVUE AVEC SOEUR LUKE, RESPONSABLE AU MOUROIR

— Depuis combien d'années êtes-vous religieuse?

— Depuis quinze ans.

— Depuis combien de temps dirigez-vous le mouroir?

— Depuis huit ans.

— Avez-vous travaillé dans plusieurs missions avant Kaligath?

— Je suis allée à Darjeeling au nord, à Madras vers le sud, au Ceylan et dans d'autres missions.

— Qu'est-ce qui vous attache tant ici, au mouroir?

— J'aime être auprès de ces gens. L'organisation est pour moi une charge. Ce que j'aime, c'est l'approche des mourants; rencontrer ceux qui s'en vont vers Dieu. Je ne me sens jamais lasse de me retrouver avec eux.

— Depuis combien d'années le mouroir est-il ouvert?

— Depuis vingt-sept ans.

— Combien de personnes y sont-elles passées depuis les débuts?

— Environ quatorze mille.

— Et dans quelle proportion ces personnes en ressortent-elles guéries?

— Cinquante pour cent de ces gens guérissent, cinquante pour cent meurent. Lorsqu'ils arrivent ici, plusieurs ne veulent même plus manger, ils viennent pour mourir. C'est l'amour qui les ressuscite.

— Sœur Luke, on entend votre voix de partout, au mouroir.

— C'est important. Ma voix est présence et comme je ne peux pas être souvent auprès d'eux, ils m'entendent et cela les rassure. L'autorité est une chose importante, elle sécurise les malades. Ils sentent une force. Lorsque je dois m'absenter, ils disent: «Les jours où vous n'y êtes pas, on le sent, c'est différent.» Mais ce que nous faisons ici, ne représente qu'une goutte d'eau par rapport aux besoins réels des pauvres.

— Au commencement du mouroir, d'où venaient les malades?

— Nous les ramassions dans la rue. Maintenant, des ambulances ou la police nous les amènent.

— Mère Teresa, dans ses livres, nous présente le mouroir comme l'antichambre du paradis. Qu'en pensez-vous?

— Je préfère le mouroir à tout. Les personnes y vivent plus près de Dieu. D'ailleurs, c'est Lui qui les conduit ici, par la main de cet étranger qui s'est dérangé pour appeler l'ambulance. Tant de gens sont passés, une foule, et sans s'arrêter. Il a fallu un cœur compatissant, obéissant à une inspiration divine pour que ce moribond arrive jusqu'à nous.

— Il m'a semblé que vous êtes sévère. Qu'en dites-vous?

— Ici au mouroir, il faut mettre de l'ordre. Mère Teresa m'a donné une confiance absolue. Jamais elle ne m'a demandé de lui rendre des comptes depuis huit ans que je suis ici, et pourtant, le mouroir est sa première création. Mère Teresa me respecte et moi aussi je la respecte. Je conduis cette œuvre en tout comme je pense qu'elle le ferait elle-même.

— L'ordre et l'amour sont pour vous les deux priorités au mouroir?

— Il faut donner aux patients de l'amour. C'est le plus important. Il m'est arrivé, à deux reprises, que des hommes refusent de manger et se laissent mourir. J'ai dû examiner ma conscience... J'avais effectivement passé une remarque sévère au lieu de parler doucement. Alors, j'ai pris tout mon temps à l'heure des repas, durant trois jours, pour que ces hommes acceptent de s'alimenter, de vivre, parce qu'alors ils ressentaient de l'amour. J'ai remarqué cette sensibilité surtout chez les hommes. Plusieurs d'entre eux arrivent ici et refusent tout soin... Ils ont décidé de mourir. Mais pour moi, ces hommes et ces femmes devant la mort, c'est un absolu que j'aime... Cela m'a toujours beaucoup interpellée.

— Vous êtes donc comblée ici à Kaligath?

— Je fais ici la volonté de Dieu qui me demande de tout organiser et je sacrifie ce que j'aime le mieux: approcher les malades. Mais ma consolation est qu'ils me reconnaissent à ma voix!

— Sœur Luke, je suis une enseignante. Que dirai-je de votre part à mes élèves qui ont 16 ou 17 ans?

— Dites aux enfants que Dieu les aime et que nous les aimons. Apportez-leur notre amour comme vous nous apportez le vôtre. Dites-leur de vivre dans l'amour vrai, afin de préserver la pureté de leur âme. Dites-leur de rester chastes jusqu'au mariage afin de transmettre ce véritable amour à leurs enfants.

— Que dirai-je de votre part à tous les jeunes du Canada?

— D'être et de rester purs et de sacrifier le plaisir comme une offrande, une prière pour ceux qui vont mourir et pour nous, les sœurs, qui devons renoncer aux joies et aux plaisirs de la vie humaine pour une joie plus grande, il est vrai, mais qui coûte à chaque jour un effort.

ENTREVUE AVEC SOEUR DENISIA

Sœur Denisia est la responsable de l'adoption des enfants. L'adoption est accordée de préférence à des parents indiens et la stabilité familiale est un critère important de sélection.

Comme les Missionnaires de la Charité ont des missions dans plusieurs pays, elles se rendent également responsables du choix des familles à l'étranger. Les enfants de Calcutta sont adoptés en Allemagne, en Belgique, en Italie et en France. Sœur Denisia a ouvert pour moi les albums contenant les photos que les parents d'adoption lui envoient à peu près une fois l'an. Elle suit ainsi le développement de l'enfant jusqu'à sa majorité, soit l'âge de dix-huit ans. Elle répond elle-même, aidée par ses secrétaires, aux familles désireuses d'adopter un second enfant. «Nos jeunes sont très doués», me dit-elle, «ils sont partout, dans leur pays d'adoption, des premiers de classe. La nature douce des enfants de l'Inde les fait chérir de leurs parents et leur beauté les fait aimer facilement.»

J'ai demandé à sœur Denisia comment elle procédait pour les adoptions.

— Les parents qui se rendent ici, choisissent eux-mêmes le bébé qu'ils désirent, celui vers lequel leur affection les porte. Ceux qui écrivent, envoient leur portrait. Je choisis alors moi-même l'enfant qui leur ressemble le plus de traits et d'allure. À ce jour, ils sont tous très contents.

— Que faites-vous des enfants non adoptés?

— Pour ce qui est des garçons, ils s'en vont à Boytown où un prêtre est leur père. Ils sont scolarisés en ville. Les filles, je les garde ici. Depuis le commencement, nous avons donné en mariage une dizaine de jeunes filles et nous en sommes très fières. Ainsi, le service que nous rendons à la société est familial. Nous sommes les mères de celles qui, n'étant pas adoptées, vivent avec nous leur adolescence. Nous voyons à leur scolarité et à leurs relations avec le monde.

Sœur Denisia a posé pour moi avec ses filles «à marier» qu'elle chérit comme ses propres enfants. Ces filles se comportent avec elle en tout point comme avec leur mère.

Avant mon départ, j'ai revu sœur Denisia. Mère Teresa venait de la rencontrer et de lui proposer une autre mission. Quelques jours plus tard, une autre religieuse avait pris place à son bureau.

J'ai causé avec Mère Teresa de ce rôle délicat de donner les obédiences. Elle est constamment en tournée de missions, elle connaît les besoins, c'est à elle qu'appartient le rôle de proposer de nouvelles tâches aux sœurs. Les décisions sont rapides et peu discutées. La Mère m'a dit elle-même qu'entre les deux types d'obéissance, celle vécue en Amérique où la discussion a une large part et celle de sa communauté où la nomination vient du cœur, de la prière et de la confiance, cette dernière est la plus parfaite. Ses sœurs l'ont choisie librement en prononçant des vœux dans la communauté des Missionnaires de la Charité.

Si Mère Teresa demande une telle obéissance à ses sœurs, c'est qu'elle-même se soumet en tout à l'autorité de l'Esprit-Saint. Voici une anecdote à ce sujet. Un jour, j'offris à Mère Teresa un agenda. Visiblement touchée par mon intention, elle me répondit affectueusement: «Vous savez, à chaque jour suffit sa peine. Chaque jour trace par des événements son programme; il se planifie de lui-même. Rien ne s'inscrit à l'avance.» Cette phrase me permit de méditer sur l'interpellation du Christ à le suivre en toute confiance sur la route qu'Il trace pour nous...

CONCLUSION

J'ai voulu partager avec vous ce pèlerinage qui revivra longtemps dans mon cœur, et que vous continuerez peut-être après moi et à la suite de tant d'autres volontaires, sur les traces de Mère Teresa.

Vous ai-je présenté tous ces amis rencontrés au travail dont les liens sûrs continuent de vivre à travers souvenirs et missives? Qu'elle est précieuse cette boîte aux lettres ouverte devant moi, et qu'il me presse de partager avec vous quelques-uns de ses trésors, témoins authentiques de la même expérience d'amour!

De France, Marie-Hélène et Marie-Luce, au pèlerinage du Rosaire à Lourdes, écrivent ces mots touchants: «Nous n'avons trouvé nulle part ailleurs cette amitié entre nous et les malades qui vient de Dieu et de la Sainte Vierge.» Marie-Thérèse, qui fut ma fidèle compagne à Prem Dan, se souvient: «Ma pensée est souvent à Calcutta. Je revois toutes choses et chacun: les petits marchands de thé sur la route de Prem Dan où nous nous arrêtions, et tout le reste. Nous passerons le week-end de la Pentecôte entre anciens volontaires de Calcutta: il y aura Marie, Étienne, le jeune médecin, et tous ceux qui voudront bien venir. Je me réjouis de revoir tout le monde...»

Je ne vous ai pas encore présenté Dominique. Comme il a continué l'expérience après mon départ, je vous en fais part: «J'ai eu la joie», m'écrit-il, «d'assister à la profession de quatre-vingt-une novices et de fêter le jubilé des cinquante années de vie religieuse de Mère Teresa, le 20 mai 1981. Le 2 juin, vingt-neuf frères ont aussi fait profession dans la maison des frères où j'ai logé à partir du 20 mars...» Et dans une autre missive: «Permettez-moi de vous adresser mes meilleurs vœux de Joyeux Noël et de Bonne Année. Que le Seigneur vous protège et vous apporte sa bénédiction. Je suis entré au séminaire en septembre dernier à Paray-le-Monial, la cité du Sacré-Cœur. Qui vivra verra. Croyez, chère Thérèse, à mon amitié sincère dans le Seigneur.»

De son côté, Didier m'adresse aussi ses vœux de Noël: «Je vous souhaite un Noël illuminé par la présence du Seigneur. Je me rappelle toujours le Noël de Calcutta, chez Mère Teresa. Je suis fiancé à une feune fille infirmière très gentille. Ursule va bien, elle est maintenant novice dans un monastère orthodoxe en Angleterre. Je vous salue affectueusement...»

Auntie Ella me raconte une expérience nouvelle: un pique-nique avec des enfants handicapés, au zoo de Calcutta. Elle m'annonce son retour en Australie, après trois ans de bénévolat auprès des enfants de l'Inde.

Cynthia est américaine, une voyageuse pleine d'audace. Elle m'écrit du Japon: «J'ai été très contente de visiter les bébés de Mère Teresa avec toi. Ce fut merveilleux de se revoir au Shri Lanka, par chance. Maintenant, j'enseigne l'anglais aux coopérants japonais et j'habite une petite ville entourée de montagnes. J'espère que l'on pourra se revoir un jour. J'étudie le français un peu, maintenant...»

Enfin, cette extraordinaire Bernadette, voyageuse autour du monde, m'adresse de Java une carte des montagnes: «Mon voyage se continue. J'ai visité la Birmanie, la Thaïlande, la Malaisie, l'Indonésie, Sumatra, Java... mais je compte venir passer un temps à Montréal...»

Toutes ces missives repliées et remises sous enveloppes, je rêve avec vous tous qui avez voyagé ou qui voyagerez, de ces amitiés vraies, de ces contacts qui frappent le cœur comme des pierres à feu, ces pierres blanches trouvées dans le sable et desquelles nous avons fait jaillir les étincelles qui émerveillaient nos yeux d'enfants.

Si ce récit de voyage a fait choc en vos cœurs, je vous souhaite qu'il en jaillisse des étincelles du feu divin qui ranime le courage et l'amour pour un long temps.

Mère Teresa n'a pas inventé la charité, ni découvert les malades et les pauvres. Notre pays peut enseigner l'Inde sur le plan de l'aide sociale. Ici, les œuvres du Cardinal Léger nous interpellent ainsi qu'une multitude d'autres semblables...

Vous qui lisez ce récit, qui êtes riches d'expériences journalières et professionnelles au service des malades ou des démunis, expériences que vous taisez dans le silence de votre cœur, vous regardez cette sainte des temps actuels comme une consœur qui éclaire le chemin de la lumière de Jésus, qui illumine vos yeux d'une joie toute divine. Ce qui est envoûtant chez elle, c'est son attitude tellement humaine: cette attention vraie et concentrée sur toute personne, dépouillée de ses valeurs sociales, de sa rentabilité sur le plan économique, toute personne humaine qui est présence de Jésus et de qui nous recevons l'évangile en donnant notre amour.

«Comment faites-vous pour vous occuper de tant de monde» demande-t-on à Mère Teresa. «Je m'occupe d'une personne et quand j'ai terminé avec cette première, alors je me consacre à la suivante.» Mère Teresa, en effet, ne s'adresse pas à vous avec une attention partagée. Il n'y a jamais de personne «plus importante» qui ravit une partie de l'attention qu'elle vous porte.

«Ce que nous faisons, dit-elle, n'est qu'une goutte d'eau dans l'océan de la misère humaine.»

Mon cœur est transporté, l'espoir est ravivé. Oui, le Christ est vraiment ressuscité, agissant en nous, vivant par nos mains qui se tendent pour soulager, pour recevoir la vie et la communiquer...

Biswardith et Ashalata, m'écrit sœur Margaret Mary, responsable de la pouponnière, ont été confiés en adoption depuis mon départ. «Remercions Dieu de nous choisir comme instruments de paix et de joie dans les vies de ces familles en donnant à ces petits la chance d'être aimés et protégés. Vraiment, c'est un miracle et nous devons remercier Dieu pour tout ce qu'Il fait pour nous sur la terre. Les pauvres sont merveilleux, et à travers eux nous recevons tellement d'enseignements. Leur bonté et leur acceptation des difficultés de la vie et toute leur attitude est quelque chose que nous ne devons jamais oublier et à travers eux, nous sommes gratifiés de servir Dieu dans la voie qui nous est tracée.»

PETITS CONSEILS PRATIQUES

— L'unité monétaire de l'Inde est la roupie. Les dollars américains facilitent l'échange.

— Le YMCA et l'Armée du Salut sont deux organismes qui hébergent habituellement les bénévoles de Mère Teresa à Calcutta.

— On peut manger, aux Indes, pour un dollar par jour.

— Il existe des restaurants pour toutes les fortunes, mais les restaurants des travailleurs offrent des repas délicieux, à bas prix et les portions sont généreuses.

— Si vous êtes las des mets de l'Inde, les restaurants chinois vous ramènent à un exotisme connu. Les prix y sont peu élevés.

— Les boutiques vous offrent le pain, les œufs cuits durs, les carrés de beurre, tomates et laitue, enfin, tout ce qu'il faut pour un repas froid de chez nous.

— Le coton est toujours seyant et de couleur locale. Il est préférable, à mon avis, pour la femme de porter jupe ou robe. Le pantalon est très contrastant avec le sari coloré et si élégant de la femme indienne.

— Un vêtement de laine chaud ainsi qu'un ciré préviennent les écarts de température et les intempéries.

— Une couverture de laine est aussi fort appréciée pour contrer la fraîcheur de la nuit. On en vend, au marché, pour quelques roupies.

— Les hôtels peu chers ne sont pas «garnis». Il faut donc se munir d'un sac de couchage ou d'un drap cousu double qui constitue une enveloppe de protection.

— Le train est tout indiqué pour les longs parcours. Il est peu cher et tenu à la perfection. Si vous prenez une couchette, n'ayez crainte d'être importuné: un veilleur de nuit monte la garde.

— Les trajets en classe populaire donnent lieu à des situations cocasses.

— Attention aux roupies. Il convient de toujours savoir compter sa monnaie et de le faire soi-même devant le caissier avant de dire merci.

— Les bureaux de tourisme des gares sont habituellement fiables pour trouver un hôtel convenable. Il faut alors suivre leurs conseils et fermer l'oreille aux agents payés par des hôtels plus médiocres pour aguicher la clientèle.

— Les taxis, dans ce pays, sont à bien choisir. Pour un long trajet, il convient de discuter du prix à l'avance.

— Pour les trajets plus courts, les *rickshaws* offrent un service peu coûteux qui ne manque pas de couleur locale. À Calcutta, ces voitures à deux roues sont à traction humaine. Dans la banlieue, le conducteur propulse ce véhicule en pédalant. Le siège arrière peut porter deux personnes ou une seule et ses bagages. À Delhi, les *rickshaws* sont motorisés et fort confortables.

— Le «Guide Bleu» de l'Inde est un outil fort appréciable et il est intéressant de savoir que l'Université de Sherbrooke offre un cours d'été sur la géographie, l'architecture, la religion et la philosophie de l'Inde. C'est une préparation intensive, mais bien pensée.

Le Père responsable du Boytown avec quelques-uns des garçons.
(photo S. Paul)

Distribution au couvent de Nirmala Sichu Bhavan.
(photo S. Paul)

Le Cardinal Léger dans les ateliers de tissage de Titagath.
(photo S. Paul)

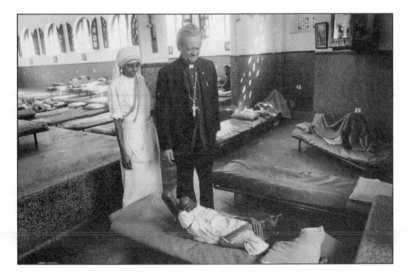

Sœur Luke accompagnant le Cardinal Léger dans une visite au mouroir. (photo S. Paul)

JOURNÉE MONDIALE DES LÉPREUX

Le 29 janvier 1984 dans la basilique
de l'Oratoire Saint-Joseph à Montréal.

HOMÉLIE PRONONCÉE PAR SON ÉMINENCE
LE CARDINAL PAUL-ÉMILE LÉGER

CHERS CONFRÈRES DANS LE SACERDOCE,

CHERS MALADES, CHERS FRÈRES ET SŒURS DANS LE SEIGNEUR,

Pourquoi ouvrir la bouche et briser le charme qui s'est établi entre la parole de Jésus, proclamée à l'instant, et l'attitude de vos cœurs ouverts à cette parole. Et, maintenant, vous vous demandez comment mettre à exécution cette annonce du royaume de Dieu, proclamée il y a vingt siècles sur le flanc d'une petite colline d'un pays ignoré alors, la Galilée. Et cependant, vous seriez déçus si je ne vous adressais pas quelques paroles d'encouragement, si je ne vous remerciais pas pour ce déplacement en un froid matin d'hiver alors que vous aussi vous avez gravi la montagne alors que vous êtes vraiment ce peuple de Dieu, «ce reste» mystérieux dont parlait le vieux prophète Sophoni, il y a un instant. Et pourquoi êtes-vous ici? Quelle est donc cette fête? Pourquoi cette basilique a-t-elle été transformée depuis quelques instants en une scène de théâtre?

Est-ce qu'il s'agit de souligner un événement tragique? Est-ce qu'il s'agit de célébrer une fête nationale? Est-ce qu'il s'agit, même, de célébrer un mystère de notre sainte religion? Pourquoi êtes-vous ici?

Il a fallu toute votre conviction pour faire ouvrir les portes de ce temple, qui restent fermées durant la saison hivernale. Je remercie le Révérend Père recteur pour sa bienveillance à notre égard.

Obéissant ainsi au mot d'ordre que le pape a lancé à travers la chrétienté, et qu'il ne cesse de répéter là où il va: «Ouvrez vos portes». Maintenant vous devez ouvrir vos cœurs. Et pourquoi ouvrir vos cœurs? À qui obéissez-vous ce matin? Vous répondez généreusement au cri que tout un peuple vous lance. Il ne s'agit pas de quelques malades isolés, il ne s'agit même pas de tous les malades qui sont dans tous les hôpitaux de la terre, il s'agit d'un peuple de vingt millions d'hommes et de femmes qui tendent leurs bras ce matin, mais à l'extrémité de leurs bras, il n'y a plus de mains. Vingt millions d'hommes et de femmes qui ont essayé de vous suivre sur la montagne, mais ils n'ont pas été capables de gravir les degrés qui vous ont conduits dans cette basilique, car ils n'ont plus de pieds. D'ailleurs, vous auriez de la difficulté à les regarder ce matin, eux dont la figure est tuméfiée; eux dont les chairs sont souvent décomposées. Et cependant, c'est Dieu lui-même qui nous les présente. Ils sont présents dans toute la Bible, dans l'évangile, au point où l'on peut affirmer que la lèpre est une maladie biblique, et évangélique. Jésus s'est penché sur les lépreux et Dieu s'est servi de la lèpre pour nous parler de toutes les misères de l'âme, du cœur et de la chair.

Je ne vous parlerai pas de la lèpre d'une façon scientifique, je laisse cela aux spécialistes du bacille de Hansen.

Je ne vous parlerai pas de la vie quotidienne de ces malades. Leurs espérances ne sont pas de cette terre. Ils acceptent, dans la patience, leur mal, mais l'espérance chrétienne leur apporte un peu de joie.

Et ils sont près de vingt millions encore à la fin d'un siècle qui accorde des prix Nobel aux grands de la médecine, en un siècle où les handicapés peuvent trouver des prothèses qui coûtent parfois des fortunes, mais eux, ils sont toujours là, gisant très souvent dans des réduits misérables.

Je vous parlerai tout simplement d'une expérience personnelle. L'apôtre saint Paul m'invite à vous dévoiler ces secrets du missionnaire qui rencontre toujours la souffrance et la déception dans un ministère difficile. À un âge où les cinquantenaires se succèdent, j'ai célébré, ici même dans cette basilique, mes noces d'or sacerdotales. Puis, il y a quelques jours, l'anniversaire de mon départ en mission. En 1934, il y a donc cinquante ans, je découvrais la lèpre dans un petit hôpital au pied du Mont Fuji, au Japon. Cette découverte me bouleversa. C'était la première fois que j'apercevais des cadavres vivants, car telle est bien l'impression que nous donne la première vision d'un groupe de lépreux.

En ces temps lointains, la lèpre, dans presque tous les pays du monde, était une maladie honteuse. Les lépreux étaient confinés dans des réserves, véritables camps de concentration de la mort. On leur présentait de la nourriture à bout de pôle; personne ne les visitait, et la science médicale n'avait pas encore pénétré dans ces enclos de souffrance et de mort. Or, au moment où je découvrais cette réalité terrible , je découvrais en même temps deux exemples de générosité évangélique. L'aumônier de cette léproserie était un prêtre japonais, le Père Iwashta. Il avait décroché, à l'Université Impériale de Tokyo, les plus hautes notes dans l'histoire de cette institution et, en récompense de ses talents, il avait reçu une montre en or de l'empereur et une bourse qui lui permettait de passer plusieurs années en Europe. En France, il avait suivi les cours de Bergson à la Sorbonne. Poussé par la curiosité et un peu aussi en dilettante, il descendit en Italie, admira les œuvres d'art des villes du nord et se rendit à Rome, non pas en pèlerin, car c'était un païen; à l'Angélicum, université dirigée par les dominicains, il suivit les cours du père Garigou Lagrange. Les conférences portaient sur l'existence de Dieu. Cet homme, intelligent, ayant reçu toutes les lumières de la raison, fut comme foudroyé, comme saint Paul sur le chemin de Damas et demanda le baptême. Il reçut l'ordination sacerdotale, retourna dans son pays et son Évêque lui demanda d'aller porter cette espérance chrétienne dans ce camp de la mort.

Le Père Iwashta était un homme plein de vie, il introduisit dans ce cimetière des vivants les sports, initia ces hommes à jouer; il leur révéla les beautés de la création et leur fit comprendre que si leur corps était décomposé, leur esprit était encore sain, et surtout, que leur cœur pouvait s'ouvrir à la foi et à l'amour.

Dans cette léproserie, aux côtés du Père Iwashta, je rencontrai une infirmière. Elle s'appelait Katharina. Son histoire est vraiment bouleversante. Appartenant à une famille noble de Kyoto, à l'âge de 18 ans, on aperçut sur son corps les taches, symptômes de la lèpre. Pour elle, païenne, et surtout pour la famille, c'était un déshonneur, et le désespoir. On la conduisit donc dans cette léproserie de Gotimba, où elle fut reçue par le missionnaire du temps, un père des missions étrangères de Paris. Le soir, le père s'aperçut que la petite fille s'était évadée et il en soupçonnait le pourquoi. Elle voulait se suicider. Il alla à sa rencontre, la ramena dans la léproserie, lui présenta l'espérance chrétienne. Le cœur de l'adolescente s'ouvrit. Le père l'instruisit et elle demanda le baptême. Avec ferveur, elle se prépara à la première communion. Elle reçut le corps du Christ Jésus et pendant son action de grâce elle fut «purifiée». C'est le mot que l'évangile emploie pour la guérison de la lèpre. Elle fut guérie instantanément et le père la félicita en lui donnant son congé. Elle pouvait retourner dans sa famille. Mais elle, à genoux, lui demanda la grâce de rester avec lui et avec ses frères, les lépreux, où elle travaille toujours malgré ses quatre-vingt-dix ans.

Voilà ce que la foi peut engendrer et cela est peut-être plus intéressant que la description scientifique de la lèpre, car ce n'est pas pour entendre ces propos que vous êtes ici.

Puissiez-vous connaître l'expérience nocturne suivante: durant une nuit d'insomnie, alors que je lisais une revue catholique, je découvris dans le fond de la page, cette petite note: «Il y a dans cette léproserie, une telle misère que les lépreux meurent de faim». Ce fut pour moi comme un éclair; moi, dans mon lit, en pleine santé, et là-bas des lépreux mourant de faim. Non! Il fallait faire quelque chose. Je trouvai alors une oreille complaisante, celle du seul collaborateur dont je puis révéler le nom, parce que c'est le seul qui soit rendu dans le royaume des bienheureux au ciel. Monsieur Bernard Benoit m'écouta et dans sa spontanéité et avec toute l'ardeur d'un homme de cœur il se mit à l'œuvre, c'est ainsi que sont nées les œuvres que vous entretenez par votre charité. Et que dois-je vous demander maintenant? Oh! Je commence à être trop vieux pour aller de par le monde pour découvrir des lèpres nouvelles. Mais peut-être qu'avec vos mains et vos cœurs, nous pourrons aller au milieu de ce peuple immense qui habite le Tiers-Monde, c'est-à-dire, ces pays pauvres qui ne peuvent même pas donner à leurs citoyens ce qui est conforme à la dignité humaine.

Le seuil de la pauvreté chez nous, c'est 8 000 $; pour une famille, 12 000 $; pour une famille et deux enfants, 18 000 $.

Si je vous transporte dans les pays d'Afrique, quels qu'ils soient, les lépreux y sont abandonnés à eux-mêmes car on peut à peine donner les soins essentiels aux malades. Comment voulez-vous qu'un peuple, dont le revenu brut par individu est de 100 $ ou de 200 $, puisse se pencher sur toutes les lèpres de l'humanité, alors que nous, nous vivons, je ne dirai pas dans un bien-être excessif, mais il y a relance dans notre économie.

Nous ne sommes pas ici pour communier à la joie et à la richesse des bien-portants. L'évangile de cette liturgie nous rappelle que celui qui a eu le cœur ouvert sur la misère, c'était le bon samaritain.

Lorsque je vivais dans la léproserie de Bafia, tous les matins je me rendais à l'infirmerie où les malades étaient réunis, véritable havre de misère. Une chère petite sœur coupait les chairs qui s'étaient desséchées durant la nuit et enveloppait les moignons dans des langes toujours souillés le lendemain. La vie continuait en attendant cette bienheureuse éternité, car pour moi la vertu d'espérance, on ne la trouve pas dans les livres, on la trouve dans le cœur de ces malades qui sont ici en ce moment devant nous. L'espérance, vertu théologale, met les cœurs en contact direct avec Dieu, le Tout-Puissant, qui pourrait faire des miracles et guérir tous les malades. Mais non! Il faut qu'il y ait des témoins qui prient, qui espèrent, qui soient convaincus qu'il y aura une vie meilleure. Voilà le message que je voulais vous livrer ce matin et ma pensée se termine dans cette léproserie de Gotimba que j'ai découverte il y a cinquante ans. Katharina est probablement encore là, attendant la fin de son pèlerinage terrestre. Elle a été remplacée par une religieuse japonaise que j'ai connue alors qu'elle avait huit ans, et que j'étais curé de la cathédrale de Faknoka. Je l'ai orientée vers le Seigneur. Elle a ouvert son cœur. Elle s'est donnée au Seigneur. Elle est devenue médecin et elle est maintenant la directrice médicale de cette léproserie que j'ai découverte il y a cinquante ans.

Entre nous, mes bien chers frères, c'est bon de vivre assez vieux pour célébrer de tels cinquantenaires.

AMEN!

CARDINAL LÉGER

Le Cardinal Léger et Mère Teresa en novembre 1983.
(photo S. Paul)

Les novices et le Cardinal Léger à la Maison mère à Calcutta.
(photo S. Paul)

(photo B. Balen)

TABLE DES MATIÈRES

Achevé d'imprimer
en juin 1988 sur les presses
des Ateliers Graphiques Marc Veilleux Inc.
Cap-Saint-Ignace, Qué.